SPY HIGH
L'école des espions

DANS LA MÊME SÉRIE
DÉJÀ PARU

SPY HIGH
L'école des espions

Mission 1 : La Fabrique de Frankeinstein

A.J. BUTCHER

SPY HIGH
L'école des espions

Mission 2
LA CONNEXION DU CHAOS

Traduit de l'anglais
par Frédéric Brument

Jeunesse

D'après une idée de Ben Sharpe.

Titre original : *The Spy High Series. Episode 2 : The Chaos Connection.*
Édition originale : Atom Books, une marque de Time Warner Books Group UK, Londres, 2003.

ISBN 2-268-05630-9

Pour Tony Joyce.

PROLOGUE

Soixante ans dans l'avenir, au nord de Boston, aux États-Unis, il existe une école qui est bien plus que ce qu'elle paraît.

Les gens parlent de l'école Deveraux comme on chuchote un secret et s'interrogent sur ce qu'ils en ont appris. Ils savent que l'école a été fondée par Jonathan Deveraux, l'un des hommes les plus riches du monde, qui selon la rumeur vivrait dans l'établissement mais que personne n'aurait vu en chair et en os depuis quinze ans. Ils savent aussi que l'école est si sélective et élitiste que même des fils de présidents ou des filles de rock stars ne peuvent se faire pistonner pour y entrer. Les statuts de l'école précisent qu'elle n'admet que des étudiants « exceptionnellement doués », mais doués en quoi ? Rien de plus n'est révélé. En fin de compte, tout ce que les gens savent, c'est l'endroit où se situe l'école et de quoi le bâtiment a l'air ; mais seulement de l'extérieur.

On l'approche en passant par un domaine de la taille de Rhode Island, sur un terrain en grande partie boisé. Si l'on est attentif, on peut s'apercevoir que les branches des arbres remuent, même les jours où il n'y a pas un souffle de vent – et que leur œil arboricole suit votre progression. Car au lieu d'être constituées d'écorce et de sève, les branches des arbres à Deveraux sont faites de circuits et de capteurs, qui enregistrent scrupuleusement la présence de tout intrus sur le terrain de l'école.

Enfin la forêt s'arrête et on voit apparaître le bâtiment principal. Et c'est comme si le temps lui aussi s'était arrêté. L'école Deveraux est une forteresse gothique, tentaculaire, le décor idéal pour abriter des chambres secrètes, des donjons obscurs et des cris résonnant dans des corridors cachés. Le genre d'endroit où l'on ne souhaiterait pas se retrouver au milieu de la nuit avec le courant coupé, où l'on serait plus rassuré avec une croix autour du cou, et même quelques gousses d'ail pour faire bonne mesure.

Bien sûr, on peut s'arrêter là, si l'on n'a pas envie d'aller plus loin, et regarder les étudiants de Deveraux s'entraîner sur les terrains de sport. Il y a toujours un match de football en cours. Toujours. Et si l'on reste à le regarder assez longtemps, on se rend alors compte que c'est la même partie qui se reproduit sans cesse, comme une répétition sans fin. Cette prise de conscience peut vous troubler, à moins que vous sachiez déjà que ce que vous êtes en train de regarder, ce sont des hologrammes, conçus pour donner une illusion de normalité.

Les véritables activités de l'école Deveraux se déroulent à l'intérieur.

Passées les grandes portes en chêne qui s'ouvrent automatiquement. Passée la réceptionniste qui, en dépit de son âge canonique, pourrait vous tuer de douze manières différentes avec ses seules mains nues et ridées. Passés les étudiants fantômes qui marchent éternellement vers des cours qui ne commencent jamais. À l'intérieur de l'une des nombreuses bibliothèques aux murs couverts de rayonnages de livres, qui, si l'on presse le dos du livre qui n'est pas un livre, se révèle en fait ne pas être une bibliothèque mais un ascenseur. Un ascenseur qui vous fait descendre au sous-sol, dans l'envers du décor, jusqu'à un endroit qui n'est plus vraiment, par bien des aspects, l'école Deveraux, mais une école que ses étudiants ont rebaptisée d'un autre nom.

Spy High, l'école des espions.

Il y a des uniformes ici, mais pas de blazers ni de cravates ni de chemises réglementaires. À Spy High, les étudiants revêtent des combichocs brillantes couleur argent, et si vous voulez savoir pourquoi on les nomme ainsi, essayez donc de prendre par surprise quelqu'un qui en porte une dans une allée sombre : vous trouverez sans doute cette expérience électrisante. Il y a des cours ici aussi, mais bien peu qu'on trouverait au programme d'autres institutions éducatives, à moins que l'histoire et les tactiques de l'espionnage, le piratage informatique avancé, les techniques de combat et de manipulation d'armes de destruction massive deviennent du jour au lendemain essentielles dans un *curriculum vitæ*. Il y a une salle d'hologym pour s'entraîner à tous types de combats physiques, une chambre de réalité virtuelle équipée des derniers modèles de cyber-cocons, ainsi que des salles d'études et de loisirs en tout genre.

Enfin, il y a le hall des Héros. C'est une pièce très silencieuse, un lieu voué au respect et à la réflexion. La plaque sur le mur explique sa vocation en lettres dorées : « Dédié aux diplômés de l'école Deveraux. À ceux qui risquent leur vie pour préserver l'avenir. » Tout au fond du hall, on commémore les Martyrs, ceux qui ont péri dans la bataille incessante qui oppose les forces du bien aux agents du mal. Leurs hologrammes lumineux flottent dans l'air, avec leurs noms inscrits en dessous, telles des sentinelles vigilantes dressées contre les ténèbres du monde. Ils rappellent surtout aux étudiants de Spy High qu'ils n'ont pas été choisis pour s'amuser, mais pour participer activement à une lutte qui peut leur coûter la vie.

Un groupe d'étudiants est justement en train d'entrer dans le hall des Héros. Le grand garçon blond qui entre le premier est Benjamin Stanton, et la jeune fille aussi grande et aussi blonde qu'il tient par la main se nomme Lori Angel. Ils sont ce qu'on pourrait appeler «proches», et pas seulement parce qu'ils se ressemblent beaucoup, malgré leur différence de sexe. Le reste de l'équipe les suit. La jeune fille afro-américaine, Cally Cross, coiffée de dreadlocks, semble attentive, et ses yeux vifs ne ratent aucun détail. Jake Daly, qui se trouve à ses côtés, arbore en revanche son habituelle expression blasée sous sa tignasse de cheveux noirs, mais on serait mal avisé de le sous-estimer : en regardant d'un peu plus près, on remarque immédiatement l'intensité et la puissance qui se dégagent de son air sombre, de son teint mat et de son corps musculeux. Le genre de type qu'on préfère avoir dans son camp lors d'une bagarre. On ne serait pas tenté de dire la même chose d'Eddie Nelligan, rouquin, l'air de sortir tout juste du lit, le sourire aux lèvres comme s'il s'amusait de quelque bonne blague ; pourtant, il n'est pas ici par erreur lui non plus. Puis vient le dernier membre du groupe, qui maintient une légère distance avec les autres, comme si elle ne faisait pas vraiment partie de l'équipe : Jennifer Chen, asiatique, les yeux verts, la souplesse et la puissance d'une panthère.

Ben conduit ses coéquipiers à travers le hall, après la salle des Martyrs, vers un endroit où l'on commémore des événements plus encourageants.

– Les voilà, dit-il dans un souffle teinté de respect, comme s'il évoquait des saints : les précédents lauréats du Bouclier de Sherlock.

Montés sur des socles comme des pièces de musée, les trophées immortalisaient la meilleure équipe d'étudiants de Spy High pour chaque année passée, récompensée par le Bouclier de Sherlock. Les visages des équipiers, étincelants comme si c'était la fierté de leur réussite qui les illuminait, tournent lentement sur eux-mêmes, en trois dimensions à côté de leurs noms gravés.

Cependant Ben semble plus intéressé par le socle qui se trouve tout au bout de la file, celui qui attend encore qu'on y place un trophée.

– Et voilà le nôtre, assure-t-il. C'est ici qu'on mettra le Bouclier de l'équipe Bond.

Ses yeux brillent tandis qu'il imagine déjà l'honneur, la gloire, qui rejailliront sur les autres autant que sur lui-même ; même si, en tant que leader de l'équipe...

– C'est notre objectif pour ce trimestre, le but que nous devons nous fixer : remporter le Bouclier de Sherlock, dit-il. (Puis, se retournant vers les autres :) Quelqu'un n'est pas d'accord ?

Personne. Lori, comme toujours, joue le rôle de la fidèle petite amie et serre sa main pour le soutenir. Jake Daly est moins impressionné, mais d'un geste sec de la tête il manifeste le même assentiment. Cally répond :

– Je suis avec toi.

Eddie ne dit rien, et les autres interprètent son sérieux, peu coutumier de sa part, comme une marque d'implication. Le silence de Jennifer est également interprété comme un accord, ce qui confère à Ben une grande satisfaction : il se félicite intérieurement d'avoir eu l'idée d'amener l'équipe Bond dans le hall des Héros.

Mais en réalité, le silence de Jennifer ne signifie ni son accord ni son désaccord, pour la simple raison qu'elle n'a pas écouté un mot de ce que disait Ben. De toute façon, elle se fiche complètement du Bouclier de Sherlock.

Jennifer Chen a une autre préoccupation en tête, quelque chose de totalement différent.

Elle savait qu'elle rêvait. Le sourire qui éclairait son visage et le rire qui montait de sa gorge ne le disaient que trop. Car aujourd'hui, on ne la voyait plus guère rire, ni même sourire. En outre, elle était de retour à la maison ; Maman, Papa et le petit Chang étaient avec elle et la lumière dans la pièce les enveloppait d'un halo doré qui chassait toutes les ombres. Elle était là où elle ne pouvait pas être, avec des gens qui ne pouvaient pas l'être non plus, mais Jennifer faisait comme si elle l'ignorait.

Si seulement cela pouvait durer toujours.

Elle serrait dans ses bras ses parents et son petit frère, elle les serrait de toutes ses forces, et c'était presque comme si elle pouvait les sentir contre son corps, entendre leur cœur battre dans leurs poitrines. Ce qui était impossible.

Le son qu'elle percevait n'était pas produit par les cœurs des membres de sa famille, ni même par le sien. C'étaient des coups sourds, étouffés, frappés à la porte. (Étrangement, la porte d'entrée semblait donner directement dans la pièce, alors que dans son souvenir elle se trouvait au bout du couloir.) C'était le son monocorde, répétitif, des coups portés contre la porte, comme une fatalité, comme des pelletées de terre jetées sur un cercueil. Ses parents l'entendirent aussi, et le petit Chang, et ils surent ce qu'il leur restait à faire.

Ils se tournèrent vers la porte et ils sentirent les ténèbres qui se trouvaient derrière, s'ouvrant sur eux comme une tombe. Ils s'éloignèrent de Jennifer.

– Non, n'y allez pas ! protesta Jennifer, en vain, car ils ne l'entendaient pas. Maman ! Papa ! Ne me laissez pas !

Les coups portés contre la porte résonnaient dans la pièce.

Ses parents étaient juste devant. Elle ne pouvait plus voir leurs visages.

– Ne lui ouvrez pas ! Ne lui ouvrez pas !

Mais ils lui ouvrirent. Et la nuit envahit la pièce, s'insinuant à l'intérieur comme le serpent au paradis. Et Jennifer eut beau tendre les bras dans un geste désespéré pour retenir sa famille, il était trop tard. Dans son rêve comme dans la vie, il était toujours trop tard.

Au moins elle ne se réveillait plus en criant. Le rêve était devenu si familier qu'elle avait acquis une sorte de contrôle. Elle ne voulait pas tirer les autres de leur sommeil en pleine nuit, comme elle l'avait déjà fait plusieurs fois au cours du dernier trimestre – elle sentait que Lori lui jetait encore de temps à autre des regards interrogateurs, suspicieux. Mais il fallait qu'elle se lève. Le réveil sur sa table de nuit indiquait 3 heures. Elle ne dormirait plus cette nuit.

Jennifer se glissa hors de son lit et se faufila dans la salle de bains, en verrouillant la porte sans bruit. Juste à temps. Sans prévenir, sa peine éclata en de profonds et douloureux sanglots ; elle tomba à genoux et elle sut qu'elle allait être malade.

Le problème, c'est qu'une fois la crise passée elle ne se sentait pas soulagée pour autant. Et elle savait très bien ce qui allait se produire ensuite.

Des petits coups prudents à la porte de la salle de bains.

– Jennifer ? Est-ce que tu vas bien ?

Lori, qui jouait de nouveau à l'infirmière de nuit.

– J'ai cru entendre...

– Non. Tout va bien.

Elle se surprit elle-même de la facilité avec laquelle elle mentait, et de la fermeté de sa voix.

– J'ai juste un peu mal au ventre. Ça va passer, dit-elle avec amertume.

Une partie de son cerveau voulait crier : « Fous-moi la paix ! Barre-toi ! Qu'est-ce que tu sais de moi ? De quoi tu te mêles ? »

Dans le miroir de la salle de bains, Jennifer regarda les larmes couler sur son visage.

La routine. Daniel Daniels haïssait la routine.

La routine faisait de lui une espèce de voyant. Daniel Daniels se dit qu'il pouvait prédire exactement ce qu'il serait en train de faire à n'importe quelle heure de n'importe quel jour de travail, la semaine prochaine, le mois prochain, l'année prochaine, dans toute sa vie future. La routine le transformait en robot aussi sûrement que s'il s'était fait greffer ces membres cybernétiques qui faisaient fureur actuellement. Elle le réduisait à n'être qu'un rouage anonyme dans la machine.

Si seulement quelque chose d'inhabituel se produisait, un tout petit chouia d'inattendu.

Mais il avait plus de chance qu'une météorite lui tombe pile sur la tête.

Prenez ce matin, par exemple (et Daniel Daniels rêvait qu'on s'intéresse à sa journée). 6 heures : la sonnerie du réveil et les draps de son lit automatisé qui se rétractent tout seuls. 7 heures : départ de la maison, habillé d'un costume qui pourrait aussi bien être un uniforme de prisonnier – même s'il coûtait beaucoup plus cher. 7 h 30 : montée dans l'hoverbus bondé qui le conduit en ville, debout pendant tout le trajet à cause des réductions de transports publics. 8 h 30 : arrivée au Wainwright Building où il travaille depuis vingt ans et va sans doute travailler dans les vingt ans à venir, sans aucun espoir de remise de peine.

À l'entrée de l'immeuble, scanner de sa rétine pour des raisons de sécurité (même si les gens rêvent plutôt de *sortir* du Wainwright Building que d'y entrer). Reconnaissance d'identité par le portier automatique qui l'accueille avec un cyber-sourire :

– Bonjour, monsieur Daniels. Comment allez-vous aujourd'hui ?

Projet éternellement reporté de dire un jour au portier automatique comment il va *vraiment* aujourd'hui.

Entrer dans l'ascenseur. Entendre Watch Baines s'exclamer depuis le hall d'entrée en marbre :

– Hé ! Retenez la porte !

Attendre jusqu'à ce qu'il pénètre à son tour dans l'ascenseur.

– Ouf ! J'ai bien failli être en retard aujourd'hui.

Sentir le besoin pressant de lui coller son poing dans la figure. Et l'envie de crier lorsqu'il dit :

– Messieurs, quels étages ?

Comme s'il ne pressait pas les mêmes boutons tous les matins depuis l'aube des temps.

Marcher avec ses collègues le long du couloir du soixante-dixième étage, échanger des plaisanteries avec eux tout en souhaitant leur mort. Puis se diriger chacun vers son bureau, chaque pièce impeccablement séparée par des cloisons de verre antibruit qui les isolent avec une efficacité imparable.

Commencer la journée. Prier pour qu'elle passe vite.

– Bonjour, Marilyn.

Au moins Daniel Daniels n'était pas forcé de dissimuler la lassitude dans sa voix lorsqu'il s'adressait à son ordinateur. Ce dernier réagissait aux vibrations de ses cordes vocales, pas à son ton.

– Salut Daniel, roucoula l'ordinateur en s'activant, obéissant. Qu'est-ce que tu as envie de faire aujourd'hui ? Tu sais que je suis ouverte à toutes les propositions.

Le petit rire crépita tandis que sur l'écran l'icône favorite du XXe siècle de Daniel Daniels lui adressait un clin d'œil coquin. Son programme Marilyn Monroe était une des rares choses qui l'aidaient à supporter sa journée.

– Tu ferais mieux de me lire mes e-mails, Marilyn, dit-il, sans s'attendre à rien recevoir d'excitant.

Il avait presque raison.

– Et un dernier message, conclut Marilyn quelques minutes plus tard, mais il ne t'est pas adressé personnellement, Daniel. Il n'est adressé à personne nominativement, en fait. Je te le lis quand même ?

– Qu'est-ce que ça dit alors ?

Il n'était guère curieux. Mais pendant une étrange seconde Daniel Daniels fut distrait. Que venait-il juste d'entendre ? Provenant d'un autre bureau à proximité. Avait-il bien entendu ce qu'il croyait ? Un cri ?

– C'est simplement adressé au monde de l'ordre, dit Marilyn.

– Lis-le quand même.

Non, ce ne pouvait pas être un cri, mais Daniel Daniels vit d'autres collègues se lever comme lui dans leurs bureaux, regardant tous dans la même direction avec la même expression stupéfaite. Du côté du bureau de Baines. Et n'était-ce pas Baines qui frappait contre les parois incassables pour sortir ? Pourquoi ferait-il ça ?

Dans son dos, Marilyn gloussait bêtement.

– Oh ! Celui-là est bizarre alors ! disait-elle. Je ne le comprends pas bien.

C'était au tour de Harper à présent, à deux bureaux de lui. Cette expression sur son visage, comme s'il était terrorisé...

Derrière Daniel Daniels, Marilyn riait toujours, bien que sa voix semblât soudain plus grave, profonde et rocailleuse. Daniel Daniels se retourna juste à temps pour voir son visage se tordre et noircir, comme si on le brûlait. Sa voix n'était plus identifiable à présent. Quelque chose d'autre était dans l'ordinateur.

– Ton temps est fini, petit homme, menaça la chose. Le monde que tu connais, le monde de l'ordre, touche à sa fin. Prépare-toi à accueillir une nouvelle ère, celle du CHAOS.

– Un virus, se murmura Daniel Daniels à lui-même tandis qu'une silhouette sombre, effrayante, prenait forme sur l'écran de l'ordinateur. C'est un virus.

C'est alors que son ordinateur explosa.

Il sembla déclencher une sorte de réaction en chaîne, les explosions se succédant dans un bureau après l'autre comme une traînée de poudre. Daniel Daniels fut projeté contre la porte de son box par la détonation, mais il ne fut pas blessé. Pendant une seconde, il pensa même, soulagé, qu'il s'en était tiré. Jusqu'à ce que le plafond au-dessus de sa tête se mette à gauchir, à craquer, expulsant des câbles électriques de ses entrailles comme de gros intestins noirs. Ils claquèrent dans l'air et balayèrent la cage de verre en crépitant : Daniel Daniels comprit aussitôt que si un seul d'entre eux ne faisait que le frôler, les types de la morgue devraient l'identifier à partir de ses empreintes dentaires.

Le mécanisme de déverrouillage de la porte ne fonctionnait plus – évidemment. Il était contrôlé par ordinateur. Le virus l'avait donc infecté également. Impossible de l'ouvrir manuellement. Daniel Daniels était piégé. Et ses collègues avaient apparemment le même problème. Ils criaient tous à présent, pris de panique, frappant des poings contre les parois de verre incassable tandis que les câbles meurtriers se balançaient dans leurs boxes, prêts à les mordre, tels des serpents.

Un flash lumineux, blanc, aveuglant. Un cri invraisemblablement aigu. Un grésillement – comme si on faisait brûler un steak. Et les yeux exorbités de Daniel Daniels enregistrèrent que Harper n'essayait plus de s'enfuir. Il n'était pas le seul. Les câbles frappaient avec une précision fatale – comme si le virus allait jusqu'à les contrôler. Il vit le pauvre Baines se faire étrangler, poussant un cri d'horreur avant d'être tiré en l'air en gigotant comme une poupée de chiffon. Et Daniel Daniels sut que ce serait bientôt son tour. *Que pouvait-il faire?*

Sa chaise. Le verre. Il y avait une chance. Il empoigna la chaise et la balança, maladroitement mais avec toute la force qu'un homme dans les dernières minutes de sa vie peut rassembler – en visant la porte en verre.

Qui s'ouvrit. Comme s'il avait pu se contenter de demander poliment. Pris dans leur élan, la chaise et lui jaillirent hors du bureau et s'étalèrent par terre, dans une posture très humiliante. Daniel Daniels ne pouvait pas parler pour la chaise, mais pour sa part il s'en fichait éperdument. Il n'y avait plus personne de vivant pour le voir, de toute façon.

Il se remit sur ses pieds et se précipita vers l'ascenseur, dont il voyait les portes salvatrices au bout du couloir.

Il sanglotait tout en courant. Si par miracle il sortait de là debout, si par miracle il survivait, il ne critiquerait plus jamais la routine. Il serait content de vivre une existence ordonnée, régimentée, préprogrammée pour le restant de ses jours. Content? Il serait l'homme le plus heureux du monde.

Les portes de l'ascenseur le virent approcher et s'ouvrirent obligeamment devant lui.

L'inhabituel? L'inattendu? Daniel Daniels les haïssait l'un comme l'autre.

Il s'engouffra dans la cage d'ascenseur, enfin en sûreté, et peut-être fut-il aveuglé par ses larmes de soulagement, ou peut-être ne regarda-t-il pas bien, ou peut-être ne fit-il tout simplement pas attention. Mais Daniel Daniels descendit tout droit les soixante-dix étages.

Car il n'y avait pas d'ascenseur.

– Les deux derniers, en position, ordonna sèchement le caporal Randolph Keene. Ben Stanton et Simon Macey.

Il cracha leurs noms comme s'il avait une dent contre chacun d'entre eux.

Ce qui pouvait très bien se comprendre dans le cas de Macey, pensa Ben, mais Keene devrait faire preuve d'un peu plus de respect envers lui. Il allait bientôt lui montrer pourquoi.

Ben et Simon s'approchèrent du Mur, sous les encouragements de leurs équipes respectives. Ben pouvait même entendre Jake Daly le soutenir, toutes les dissensions entre eux mises de côté (sinon oubliées) pour la durée de la compétition. L'équipe Bond contre l'équipe Solo. Ben Stanton contre Simon Macey. On en arrivait toujours à ça.

– Bonne chance, Simon, lui chuchota Ben.

– Va crever, Stanton, fut la réponse.

Ben sourit. Pour des agents secrets, les émotions étaient négatives. Les émotions étaient un handicap. Elles pesaient sur vous, rendaient vos pensées confuses, se mettaient en travers de ce que vous aviez à faire. Un agent secret devait réprimer ses émotions, s'en décharger. Et ce n'était pas ce que faisait Macey. Il haïssait Ben au lieu de se concentrer sur le Mur. Ce qui signifiait qu'il avait perdu d'avance.

Ben prit son spray et enduisit généreusement les bottes de sa combichoc ainsi que ses mains de collapeau. La substance claire et gélatineuse enroba sa peau comme un gant serré et invisible. Ben ferma les poings et se frotta les mains. Il ne les sentait pas du tout collantes, pourtant la collapeau serait assez forte et adhésive pour lui permettre d'escalader le Mur sans aucune autre prise. « Voyez ça comme une sorte de colle humaine », leur avait-on appris.

– Qu'est-ce que vous attendez, les filles ? Qu'on vous invite à danser ? reprit Keene. Mettez-vous en position avant qu'on soit tous morts d'ennui.

Ils se placèrent juste au pied du Mur, même si ce qu'ils avaient à escalader n'était pas tout à fait un mur normal. On a tendance généralement à construire les murs à partir du sol, ne serait-ce que pour des raisons de sécurité. Le Mur dont il était question ici, dans la salle d'entraînement n° 2 de Spy High, avait été construit à partir du plafond (qui se trouvait très, très haut au-dessus de leurs têtes, ses lampes brillant comme des étoiles) en descendant, mais peut-être s'étaient-ils trouvés soudain à court d'argent, car le Mur s'était arrêté avant d'arriver au sol. Il se trouvait en fait juste au-dessus de la tête des garçons. Tout noir et totalement perpendiculaire au sol.

– À vos marques ! aboya Keene.

Ben banda ses muscles. Du coin de l'œil, il vit Lori l'encourager silencieusement. Elle avait fait sa part de travail, en gagnant l'épreuve contre Sonia Dark, son adversaire de l'équipe Solo. Jake et Cally aussi avaient gagné. Seuls Eddie, ce qui était prévisible, et Jennifer, ce qui était plus surprenant, avaient été battus.

Comme un ressort, se dit Ben, en se préparant à sauter. *Sois comme un ressort.*

Le score était donc de 3 à 2 à l'avantage de l'équipe Bond. Et il ne restait plus que Ben et Macey. Si Ben gagnait, l'équipe Bond gagnait. Si Ben gagnait, l'équipe Bond prenait une avance déterminante dans la course pour le Bouclier de Sherlock. Il n'y avait pas d'alternative. Il *devait* gagner.

– Sautez !

Ce que fit Ben, de toute la force de ses jambes. Il plaqua ses mains contre la surface lisse du Mur et sentit la collapeau le soutenir sans effort. Il leva ses pieds pour les mettre à leur tour en contact avec le Mur, alors même que la structure commençait à bouger, à se pencher, l'angle au sol, de quatre-vingt-dix degrés au départ, se réduisant graduellement, par un lent mouvement de renverse, en faisant s'accroître la pression de la gravité sur ceux qui tentaient d'escalader le Mur. Sur le Mur, même aidé par la collapeau, la technique était capitale.

Ben se fiait à sa maîtrise technique. Il avait suivi attentivement les cours. Il s'était entraîné durement. Il progressait avec assurance, toujours plus haut, faisant glisser ses mains et ses pieds sur la surface lisse du Mur sans jamais perdre le contact, en écartant ses doigts au maximum afin d'adhérer à la plus large surface possible. Tout était là. Il fallait se coller littéralement au Mur, comme à une fille qui vous a toujours plu et que vous ne voulez pas laisser échapper : ne jamais laisser la collapeau se détacher une seconde. Et se concentrer, se focaliser. Se fixer sur la tâche à accomplir.

Ben rampait sur le Mur, toujours plus haut.

Ce dernier avait passé les quatre-vingt-cinq degrés d'angle. Quatre-vingts. Macey collait au train de Ben. Il avait sauté aussi haut que lui, mais s'était un peu emmêlé les pieds. Il était cependant en train de le rattraper. Ben redoubla d'ardeur, grimpant en synchronisant parfaitement le mouvement de ses membres. Les battements de son cœur s'accélérèrent. Le plafond était à présent plus proche que le sol. *Soixante-quinze degrés. Soixante-dix...*

La force de la gravité tirait Ben vers le bas ; pour la première fois, il sentit la collapeau se détacher quelque peu. S'il ne faisait pas très attention, une main ou un pied pouvait se décoller du Mur comme un vieux sparadrap qui se détache de la peau – et il se retrouvait aussitôt en bas. Or Ben Stanton n'avait pas intégré Spy High pour échouer.

Soixante-cinq degrés. Soixante.

Macey ne gagnait-il pas du terrain ? Comment était-ce possible ? Macey était un loser, c'était si évident pour Ben qu'il s'attendait presque toujours à voir le mot « loser » tatoué sur son front. Pourtant, il gagnait du terrain.

Cinquante-cinq degrés.

Ben devait essayer quelque chose, creuser son avance. Il se déporta sur le côté, afin de couper la voie à Macey. C'était comme si une voiture faisait une queue-de-poisson à une autre, et de même que la seconde voiture devait freiner brusquement pour éviter un accident, Simon Macey stoppa sa progression pour éviter la collision.

– Que... ?

Macey décolla sa main droite du Mur. C'était suffisant.

– Non !

La gravité le tira en arrière.

Ben le regarda avec une lueur de triomphe dans les yeux.

– Alors, Macey, il y a quelque chose qui ne colle pas ?

– Stanton ! cria Macey d'un ton menaçant.

Il étendit sa main droite pour attraper la jambe de Ben. Mais il la rata. Avec un grognement de déception, il se détacha du Mur et plongea vers le sol. Il ne risquait évidemment rien : le sol de la pièce était équipé pour amortir les chutes. La seule partie de Simon Macey qui serait blessée, c'était sa fierté. Ce qui était exactement l'intention de Ben.

Cinquante degrés. Quarante-cinq. Mais les angles n'importaient plus à présent. Ben continua doucement, prudemment, sa progression jusqu'au sommet du Mur. Il se hissa sur la plate-forme et leva les bras en signe de victoire. À ses pieds, des petits personnages l'applaudirent. Il regrettait juste qu'il n'y ait pas de caméras.

Lori se précipita la première à la rencontre de Ben, le serra contre elle et l'embrassa. Les autres ne coururent pas, mais ils vinrent quand même le féliciter, sans toutefois l'étreindre ni l'embrasser, ce qui dans le cas de Jake et d'Eddie était tout de même préférable. Il y eut un chœur unanime de « Bien joué ! » et d'autres variations sur ce thème.

– Tu nous as fait une belle démonstration, reconnut Eddie, dont les propres efforts sur le Mur s'étaient réduits à un dandinage désespéré.

– Hé, dit Ben, il fallait bien que quelqu'un le fasse.

– Toujours aussi modeste, fit remarquer Jake, avec un clin d'œil ironique à l'intention de Jennifer. Que ferait-on sans lui ?

Jennifer répondit par un demi-sourire absent, qui fit froncer les sourcils à Jake. D'accord, elle était tombée du Mur elle aussi, mais il n'avait pas l'impression que c'était ce qui la troublait. Il y avait autre chose. Jake le sentait.

Les étudiants prirent soudain conscience de la présence du directeur Elmore Grant.

– Vous avez suivi l'épreuve, monsieur ? demanda Ben, s'attendant visiblement à une réponse affirmative suivie de félicitations. Vous m... nous avez vus ? L'équipe Bond est bien placée pour le Bouclier de Sherlock, non ?

– Non, dit Grant en passant une main dans ses cheveux – ce qui était toujours mauvais signe. Désolé, mais je n'ai pas...

Qui est mort ? se demanda Jake. *Les parents de qui sont-ils morts ?*

– Je ne vous ai pas vus, reprit Grant. Je regardais autre chose.

– Monsieur ? demanda Cally. Quelque chose ne va pas ?

– J'aimerais que vous m'accompagniez, équipe Bond, dit Grant qui semblait reprendre ses esprits. Il y a du nouveau.

– Du nouveau, monsieur ?

Ben était ennuyé. Qu'est-ce qui pouvait être plus important que de célébrer leur victoire ?

– Ça a commencé, dit Grant. Le CHAOS arrive.

PREMIÈRE PARTIE

1

Toute la pièce hurlait.

Pour être juste, produire du bruit était ce que le Centre de collecte de l'information de Spy High faisait au quotidien. Le CCI était relié à toutes les grandes chaînes d'information de la planète, ainsi qu'à la plupart des petites, surveillant les événements à mesure qu'ils se produisaient dans le monde entier et retransmettant les plus récents développements de l'histoire humaine directement et sans délai à l'école; là, Jonathan Deveraux et son équipe pouvaient alors décider si une intervention s'imposait de la part des agents de Spy High et de quelle nature elle serait, afin de préserver et de défendre le bien. Vingt-quatre heures sur vingt-quatre – au minimum –, le CCI résonnait de la rumeur de millions de voix dans des milliers de langages différents. Les membres de l'équipe Bond y étaient habitués : en entrant dans cette pièce, ils s'y attendaient.

Mais ils ne se doutaient pas des horreurs qui les accueilleraient ce jour-là.

Sur chaque continent, des images de choc et de terreur. D'un pôle à l'autre, catastrophes et carnages se déroulaient. Des scènes de cauchemar apocalyptiques prenaient vie sur les écrans qui les entouraient. Un aérotel projeté des cieux s'écrasait sur la terre comme une boule de feu.

La régulation informatique du trafic se déréglait, provoquant collisions et explosions. Les cités solaires de la côte californienne étaient soudain plongées dans le noir. Et chaque écran retransmettait la même bande-son au désastre : le monde entier semblait crier. Cette fois, pas besoin de traduction. La mort avait le même langage partout.

– Que se passe-t-il ? demanda Cally, stupéfaite, les yeux rivés sur les écrans. On dirait que c'est la fin du monde.

Lori glissa sa main dans celle de Ben. Même s'il n'eut pas la présence d'esprit de la lui serrer pour la rassurer, ce simple contact la sécurisa.

– Monsieur ? demanda Jake, consterné, à Grant.

– Regardez bien, leur intima le directeur.

– Je ne peux pas, protesta Jennifer, avec une sensiblerie inhabituelle. C'est trop... arrêtez ça ! Arrêtez ça !

Les écrans s'éteignirent. Il y eut une seconde de silence, presque aussi gênante que les cris. Puis, sur chaque écran, démultiplié et menaçant, apparut un homme masqué, comme une photographie en négatif, comme l'envers d'un visage humain, et l'équipe Bond comprit pourquoi on les avait amenés là.

– Nous avons parlé, déclara l'homme, et le monde entier a entendu nos paroles de désordre, de destruction et de mort. Notre langue est le CHAOS, une langue que vos prétendus et risibles gouvernements vont bientôt comprendre on ne peut plus clairement. Le CHAOS : le Combat pour l'Holocauste, l'Anarchie et l'Occultation de la Société. Nous sommes les ennemis de vos misérables petits systèmes répressifs, de votre ordre, de vos lois et de vos institutions, dit l'homme en s'approchant plus près. Leurs jours sont comptés. La loi et l'ordre n'existeront bientôt plus. Voici le début de l'ère du CHAOS. Nous avons parlé, et vous nous avez entendus. À présent, nous

nous tairons pendant un moment, afin que vous puissiez réfléchir à ce qui a été dit, mais nous reviendrons bientôt avec nos exigences. Et ne pensez pas que vous pouvez nous arrêter. Nous pouvons attaquer n'importe qui, n'importe où, n'importe quand. Le CHAOS arrive. Et vous n'y pouvez rien.

– Pas si sûr. Pour commencer, on peut déjà faire taire ce type, non ? dit Eddie en parcourant la pièce du regard. Où est le bouton « off » ?

– Peu importe, dit Grant tandis que le CCI redevenait de nouveau silencieux. La communication est terminée. Il y a un peu plus d'une heure, ce message a interrompu tous les programmes dans le monde entier. Cette organisation semble revendiquer la série de catastrophes dont vous venez d'être témoins. Pire encore, elle semble en annoncer d'autres.

– Alors il faut faire quelque chose pour les arrêter, dit Ben.

– Nous avons déjà réassigné toutes nos équipes d'agents opérationnels sur cette affaire, dit Grant, et nous tentons de retrouver la source de ce message, sans succès pour l'instant. Quel que soit le programme de brouillage qu'ils utilisent, il doit être à la pointe de la technologie, et même en avance. Ce qui nous manque, et dont nous avons un besoin urgent, c'est une piste.

– C'est pourquoi nous vous avons fait venir ici, équipe Bond.

Les écrans vidéo s'animèrent à nouveau, mais c'était à présent pour faire apparaître le visage grave et solennel de Jonathan Deveraux lui-même, qui examina attentivement les six étudiants.

– Vous êtes les seuls à avoir déjà rencontré un agent du CHAOS, et vous pourrez peut-être nous fournir la piste dont parle le directeur Grant.

Les membres de l'équipe Bond échangèrent des regards. Comme un seul homme, ils se remémorèrent ce qui leur était arrivé au trimestre précédent. Leur expédition en camping dans la Région sauvage. Leur capture par le Dr Averill Frankenstein, le généticien fou. Et leur bref dialogue par écran vidéo interposé avec le même type d'agent masqué du CHAOS[1].

Il était déjà rare que Deveraux se manifeste directement à des étudiants de Spy High, même par écran vidéo, mais qu'il leur demande aussi explicitement de l'aide était sans précédent. Si seulement ils pouvaient apporter leur contribution à la défaite du CHAOS, pensa Ben, ils mériteraient sans doute une place d'honneur dans le hall des Héros, et lui-même, en tant que leader de l'équipe, y occuperait la première place, bien entendu. Mais malheureusement, même lui n'osa dire à Deveraux autre chose que la décourageante vérité :

– Je ne pense pas que nous puissions vous apporter quoi que ce soit de plus, monsieur. Nous avons eu droit à un débriefing complet après les événements...

– Je suis au courant, Stanton. J'ai eu les enregistrements.

– Bien sûr, monsieur, dit Ben d'un air piteux. Je voulais seulement dire que je ne vois rien d'autre à ajouter.

– Mais vous étiez enfermé dans la chambre génétique de Frankenstein la plupart du temps, n'est-ce pas ? Peut-être que certains de vos coéquipiers ont encore des choses à nous apprendre.

– En vérité, monsieur, dit Cally, qui avait l'impression que Deveraux était un peu injuste, je crains que nous ne puissions rien vous apprendre de plus que Ben.

---

1. Voir Spy High Mission 1 : *La Fabrique de Frankenstein*.

L'agent que nous avons vu a déclaré exactement le même genre de choses que celui d'aujourd'hui. Mais, avec ce masque, il est impossible d'affirmer que ce soit le même homme.

Deveraux émit un soupir de déception. La place d'honneur de Ben dans le hall des Héros sembla s'évanouir du même coup.

– Très bien, déclara Deveraux. Mais si un quelconque détail vous revenait à l'esprit, à n'importe lequel d'entre vous, aussi petit ou insignifiant qu'il puisse paraître, rapportez-le immédiatement au directeur Grant. Nous devons explorer toutes les pistes possibles dans cette crise. Nous n'aurons de cesse de mettre un terme à la menace du CHAOS.

Et Deveraux disparut.

Piqué au vif par la critique implicite que lui avait adressée Deveraux, Ben prit les devants :

– Réunion, susurra-t-il aux autres avec un air de conspirateur. La chambre des filles. Dans une heure. Avant le cours de maniement d'armes. On va passer en revue l'affaire de Frankenstein, juste au cas où. Soyez tous là, d'accord ?

Il fut satisfait de rencontrer un assentiment général.

Tout était clair, pensa Ben. L'heure du rendez-vous. Le lieu. Le but. Aussi eut-il un petit choc quand l'équipe Bond se réunit avec un membre manquant – et la dernière personne à laquelle il se serait attendu.

– Où est Lori ? demanda-t-il.

Elle était assise dans le foyer, mais elle aurait pu se trouver n'importe où. Ses yeux pourtant grands ouverts ne voyaient pas son environnement immédiat.

En pensée, Lori était de retour dans la chambre mutagène de Frankenstein.

Elle frémit en revivant son supplice. Ses poings qui frappaient les parois de verre incassable. Piégée, comme un spécimen dans un bocal. Le gaz mutagène, qui léchait ses chevilles, rampait sur ses genoux, sur ses cuisses, une marée grise qui montait le long de ses membres impuissants. Elle sentit de nouveau le goût du gaz dans sa bouche, amer et acide, quand ses lèvres s'étaient ouvertes parce qu'elle n'arrivait plus à retenir sa respiration. Le pire de tout, c'est quand elle l'avait senti agir à l'intérieur d'elle-même, la modifier, remodeler quelque chose d'autre en elle, tandis qu'elle se sentait dériver, que son identité, son humanité sombraient.

Lori ferma les yeux, comme si cela pouvait suffire à effacer ses souvenirs. Mais ce n'était pas le cas. La chambre mutagène serait toujours avec elle, comme un rappel permanent, effrayant, de sa condition mortelle.

Elle avait dit à Ben ce qu'elle ressentait, bien sûr. Il avait réagi avec une empathie appropriée – son expression concernée, ses mains rassurantes et ses baisers pour la tranquilliser –, mais il était évident qu'il ne l'avait pas vraiment comprise. De la part de quelqu'un qui avait été enfermé avec elle dans la chambre génétique, qui avait goûté le gaz mutagène en même temps qu'elle, elle était étonnée : l'expérience semblait ne pas avoir affecté Ben, ou, si c'était le cas, il n'en laissait rien paraître. « Mais tout va bien maintenant, chérie. C'est fini, avait-il dit. On a survécu. » Ce qui était vrai. « La chambre mutagène a été détruite. » Ce qui était également vrai. « Tu peux oublier toute cette histoire à présent. » Deux sur trois, ce n'était pas si mal.

Mais voilà : elle ne voulait pas revenir sur tout ça. Que les autres se réunissent et en discutent s'ils le souhaitaient. Elle s'excuserait auprès de Ben en temps voulu. Pour le moment, tout ce qu'elle désirait, c'était rester tranquillement assise ici, sans être dérangée.

Quelqu'un avait apparemment d'autres projets pour elle.

– Vanessa ? Vanessa, comme je suis content que tu sois venue !

Au début, Lori ne répondit pas, principalement parce qu'elle ne s'appelait pas Vanessa. Mais il lui fut difficile de nier sa présence lorsque Gadget Newbolt se planta juste devant elle avec un sourire radieux, comme s'il retrouvait une vieille amie qu'il n'avait pas vue depuis des années.

Gadget Newbolt, ou le professeur Henry Newbolt, pour être plus précis, était le génie scientifique à l'origine de quasiment toutes les merveilles technologiques de Spy High, d'où son surnom de « Gadget ».

– Vanessa, roucoula-t-il à nouveau. Ma chérie.

Lori regarda derrière elle. Rien qui ressemble à une Vanessa.

Malheureusement, le brillant cerveau de Newbolt avait complètement disjoncté depuis longtemps et ses fameuses cellules grises étaient réduites à l'état de cendres dans son crâne. À présent, il n'était plus qu'un vieil homme gâteux en blouse blanche, à qui l'on permettait encore d'errer à sa guise dans les couloirs de l'école, une sorte de remerciement embarrassé pour toutes ses contributions passées – avant qu'il ne devienne sénile.

Ces temps-ci, Gadget avait tendance à ne parler qu'aux murs, pas aux gens. Et à la connaissance de Lori, il n'avait encore jamais appelé quelqu'un Vanessa.

– Professeur Newbolt..., lui répondit-elle nerveusement, se demandant ce que signifiait le « ma chérie », en restant sur ses gardes – elle avait appris à se méfier des hommes âgés en blouse blanche.

– Professeur ?... Voyons, ma chérie, rit le vieux Gadget, où est passé le grand-père ? Appelle-moi grand-père, comme tu l'as toujours fait.

Oups. La réunion de Ben semblait une option attractive, après tout.

– Ravie de faire votre connaissance, professeur, mais je dois y aller..., dit Lori en se levant avec un sourire faux.

Elle vit alors la douleur dans le regard du vieil homme. Ses lèvres décharnées tremblèrent.

– Ne t'en va pas, Vanessa, implora-t-il. Pas déjà. Pas encore. Tu viens juste d'arriver, et tu n'avais pas rendu visite à ton vieux grand-père depuis si longtemps.

– Professeur, je ne suis pas Vanessa.

La première pensée de Lori avait été de détromper Gadget. Mais elle vit ses sourcils se froncer et se rendit compte qu'elle lui ferait probablement moins de peine en jouant le jeu et en prétendant être ce qu'il voulait.

– Vanessa ? essaya-t-il encore d'un ton plaintif.

– Oui, grand-père ? répondit-elle cette fois.

Le visage de Gadget s'illumina aussitôt ; il prit les mains de Lori dans les siennes et les serra tandis qu'elle se rasseyait.

– Oh ! comme je suis content de te voir, ma chérie. Ça fait si longtemps. Ton vieux grand-père commençait à se demander si tu ne l'avais pas oublié.

Il y avait peut-être une part de vérité là-dedans, pensa Lori. Elle décida d'en apprendre plus sur le passé de Gadget dès qu'elle en aurait l'occasion.

– Oh ! non ; j'étais occupée, c'est tout. Bien sûr que je ne t'ai pas oublié.

– Vanessa, Vanessa, répéta Gadget tandis que de grosses larmes lui coulaient sur les joues. Tu as toujours été une si gentille fille. Et j'ai été moi aussi très occupé, tu sais. Viens voir ce que ton grand-père a fait pendant tout ce temps. Je vais te montrer mon laboratoire.

À présent les choses allaient un peu trop loin. Gadget s'était mis en marche et la tirait par la manche ; Lori se dit qu'il était temps de lui faire ses excuses. Les cours allaient reprendre dans quelques minutes et ce n'était pas une bonne idée de les sécher. Ratez un cours à Spy High et vous ratez peut-être quelque chose qui un jour pourrait vous sauver la vie. Elle devait s'en aller. Mais au même moment Gadget s'arrêta et lâcha sa manche. Il remua ses mains parcheminées comme des feuilles mortes.

– Vanessa ? dit-il d'une voix pathétique. Où est mon laboratoire ? Je n'arrive pas à... où est-il ? demanda-t-il, l'air aussi perdu qu'un enfant séparé de ses parents dans un endroit public vaste et terrifiant. Vanessa, tu peux m'aider ? Aide-moi s'il te plaît. Emmène-moi à mon laboratoire.

Lori soupira. Comment refuser ? Tant pis, elle rattraperait plus tard son cours sur le maniement des armes.

– D'accord, dit-elle en prenant la main du vieil homme. Allons à ton laboratoire, grand-père.

– Grand-père ?

Si la mâchoire de Ben avait pu descendre un peu plus bas, Lori aurait été capable d'inspecter ses amygdales depuis l'autre bout de la pièce.

– Tu l'as vraiment appelé *grand-père* ?

– Eh bien oui, évidemment, Ben, qu'est-ce que j'aurais pu faire d'autre ?

En quête de soutien, Lori jeta un regard à Cally – qui fut assez gentille pour l'aider en répétant ses derniers mots d'un air affirmatif : « C'est vrai, qu'aurait-elle pu faire d'autre ? » et à Jennifer, assise sur son lit, mais qui, le regard dans le vague, semblait ne s'intéresser à rien de ce qui se passait dans le monde qui l'entourait.

– Quoi d'autre? dit Ben, qui n'était guère convaincu. Tu aurais pu suggérer à ce vieux monsieur d'aller se faire soigner et nous rejoindre pour le cours de maniement d'armes de Lacey Bannon, voilà ce que tu aurais pu faire d'autre.

Parfois, il ne comprenait décidément pas Lori. Comment pouvait-elle faire si peu de cas de leurs obligations? Si seulement les autres prenaient un peu plus exemple sur lui.

– Oh! Ben, soupira Lori, exaspérée. Ce n'était pas aussi facile. Tu n'as pas vu dans quel état était ce pauvre Gadget. Tu n'y étais pas.

– Tout juste, fit Cally en écho. Tu n'y étais pas.

– Oui, et on dirait que Gadget n'y était pas tout à fait lui non plus, dit Ben sur un ton dénué de compassion. Et qu'est-ce qui s'est passé après? Ça ne prend quand même pas une heure d'aller du laboratoire de Gadget aux salles d'entraînement. Tu en as profité pour aider quelques vieilles dames à traverser la route, c'est ça, Lori?

– C'est cette attitude compatissante qui me touche en toi, Ben, dit sa petite amie. En fait, je n'ai pas pu partir tout de suite. Gadget était si content que je sois là... Il ne m'aurait pas laissée m'en aller. On aurait dit un petit garçon qui fait admirer ses jouets à un adulte. Il m'a montré toutes ses dernières inventions.

– Je croyais qu'il n'inventait plus rien de valable depuis des années.

– Ce n'était que des boîtes qui débordaient de fils dans tous les sens, des morceaux de vieilles batteries, des circuits et des ampoules. Rien. Bon pour la poubelle. Pourtant, il était convaincu que c'étaient des inventions extraordinaires. Il me les faisait admirer. Alors j'ai joué le jeu. C'était triste, vraiment.

– Tu m'en diras tant. Subir les caprices d'un vieux fou sénile pendant que tu aurais dû être avec nous en train d'apprendre quelque chose d'utile.

Lori éclata d'un rire ironique.

– Apprendre quoi d'utile ? Des manières inédites et palpitantes de tuer des gens ?

– Dis donc, la réprimanda Ben, quand tu seras en mission, tu trouveras sans doute que savoir manier un canon laser est un peu plus utile que de savoir se rendre agréable. Ça m'étonnerait que tu obtiennes beaucoup de résultats avec ces types du CHAOS en les appelant grand-père et en leur souriant gentiment. Pas d'accord ?

– Si, je vois où tu veux en venir, dit Lori, c'est pour ça que j'ai quitté le laboratoire de Gadget dès que j'ai pu. Au bout d'un moment, il était tellement absorbé dans ses pensées qu'il semblait avoir oublié ma présence. Pendant que je me faufilais dehors, il m'a de nouveau remarquée mais ne m'a plus appelée Vanessa. Il n'a pas eu l'air de me reconnaître. Il a juste dit que c'était un laboratoire privé et que les étudiants n'avaient pas le droit d'y entrer. Apparemment, son esprit battait à nouveau la campagne, alors je me suis éclipsée. Seulement, le cours de maniement d'armes était déjà presque fini. Serait-ce trop demander de savoir si j'ai loupé quelque chose d'important ?

– Oui, j'en ai bien peur, dit Ben d'un ton solennel. Lacey nous a présenté le dernier modèle de fusil paralysant à lunette infrarouge pour tirer dans le noir.

– Elle vous a présentés ? Eh bien j'espère que vous serez très heureux ensemble.

– Très drôle, grogna Ben – Cally semblait en tout cas le penser. Espérons que tu trouveras toujours ça aussi amusant la semaine prochaine à l'épreuve de tir. Il y aura des fusils paralysants, et cette épreuve compte pour le Bouclier. Ou peut-être estimes-tu maintenant que gagner ce truc n'est qu'une plaisanterie, Lori... D'ailleurs, je vais te laisser y réfléchir.

Comment sa journée avait-elle pu tourner ainsi? Ç'avait pourtant bien commencé avec le Mur, mais après ç'avait été la dégringolade. D'abord Deveraux, maintenant Lori. Fronçant les sourcils avec irritation, Ben se retourna pour partir.

– Allez, Ben, reste! l'appela Lori.

Mais il s'en alla. La porte claqua.

– As-tu déjà songé à le remplacer par un modèle un peu plus mature? demanda Cally.

– Je ne crois pas que je pourrais, dit Lori en rougissant. Et je ne crois pas que j'en aie envie. Je sais qu'il peut être dur parfois, cassant avec les gens, intolérant, et qu'il peut paraître un peu égoïste...

– Désolée, Lori, l'interrompit Cally, mais tu es la petite amie de Ben ou son analyste?

– Mais vous devriez le voir quand on est tous les deux, rougit de nouveau Lori. Il est vraiment différent, et meilleur. Il peut aussi être tellement gentil...

– Ouais, mais je ne crois pas qu'on soit obligés d'aller jusque-là, rit Cally. On te croira sur parole, n'est-ce pas, Jennifer?

– De toute façon, je crois que je ferais mieux..., commença Lori avec un geste dans la direction qu'avait prise Ben. Je ferais mieux d'aller m'excuser. Ben avait raison. Je n'aurais pas dû louper ce cours.

– Quoi? C'est hors de question, dit Cally en secouant la tête d'un air incrédule. Il t'a fait une scène et a fichu le camp. Si tu lui cours après maintenant, c'est une humiliation personnelle. Vu la façon dont il a t'a parlé... Laisse-le donc revenir la queue basse et te présenter des excuses, Lori, dans l'hypothèse bien sûr où Ben Stanton est physiquement équipé pour prononcer le mot « désolé ». Qu'il sache un peu qui commande. C'est comme ça qu'on fait, nous les filles, hein, Jen ?

Cally et Lori prirent alors conscience en même temps que Jennifer n'était pas tout à fait avec elles.

– Jennifer ? Coucou ? Jen ?...

CCI FICHE D'INFORMATION FBA 8320

« Les individus comme Boromov, Corbin et Pascal Z pensent que le progrès technologique accroît le fossé entre les riches et les pauvres, les possédants et ceux qui n'ont rien. Ils critiquent le techno-impérialisme, le fait que les nations technologiquement avancées exploitent les pays qui manquent d'infrastructures industrielles et scientifiques. Parallèlement, cette organisation qu'on appelle CHAOS semble aller plus loin, en perturbant la technologie afin de déstabiliser la société elle-même. Il me paraît évident que notre mode de vie tout entier se trouve aujourd'hui face à une crise majeure. » Le professeur Talbot a continué en disant...

Elle n'avait pas dormi de la nuit. Elle n'avait pas osé. Si elle fermait les yeux, elle savait qu'elle rêverait, et rêver, cette nuit plus encore que toute autre nuit de l'année, reviendrait à laisser les ténèbres entrer, à se retrouver sans défense devant le grand homme noir, l'homme dans le couloir.

Aussi Jennifer restait-elle étendue sur le dos, les bras le long du corps : elle faisait la morte, les yeux fixés au plafond comme s'il s'agissait du couvercle d'un cercueil.

Mais peut-être avait-elle fini par céder. Peut-être s'était-elle endormie sans s'en rendre compte. Dans l'obscurité de la chambre, il était difficile de dire si ses paupières étaient ouvertes ou fermées. Elle pensa qu'elle devait dormir car le couloir se trouvait soudain devant elle et la silhouette d'un homme s'y découpait. Ou peut-être était-elle toujours éveillée et peut-être que l'homme dont le rire évoquait le sifflement d'un cobra ne se contentait plus désormais d'apparaître dans ses rêves, dans son passé, mais surgissait ici et maintenant. Peut-être venait-il la chercher. Ce jour plus que tout autre jour, cela n'aurait rien de surprenant.

C'était l'anniversaire du jour où il était venu chercher sa famille.

Jennifer laissa échapper un gémissement étouffé, tordit les draps dans ses mains, et attendit que le jour se lève.

– Jen, ça va? demanda Jake au petit déjeuner, cherchant à capter son regard pour tenter d'y lire la vérité. Je ne veux pas me mêler de ce qui ne me regarde pas, mais tu as l'air d'avoir vu un fantôme.

– Ça aurait pu être pire, plaisanta Ben. Elle aurait pu voir Eddie sous la douche.

– Ah, très drôle! s'offusqua Eddie. D'un autre côté, Jen, si jamais ça t'intéressait de me voir sous la douche, je suis sûr qu'on pourrait trouver un arrangement. Par exemple, tu pourrais me passer l'éponge sur le dos...

– Tu ferais mieux de passer l'éponge tout de suite sur cette idée, dit Jake, dissimulant à peine la menace sous le bon mot. Si tu vois ce que je veux dire.

– C'est bon, dit Jennifer, sans que ses yeux croisent un seul regard. Laissez tomber.

Jake n'était pas satisfait. Si seulement Jennifer acceptait qu'il se rapproche d'elle. Il le voulait, et elle le savait, pourtant elle gardait ses distances, comme s'il y avait entre eux une porte fermée qu'elle n'osait pas ouvrir. Il décida de tenter à nouveau sa chance après le cours d'arts martiaux, et si cela ne marchait pas, il essaierait encore plus tard. Jake Daly n'abandonnait pas facilement.

Le cours ce jour-là était consacré au kendo, la voie du sabre. Les sabres n'étaient pas en acier et leurs lames n'étaient pas mortelles, bien sûr : ils s'exerçaient au *shinai*, le sabre de bambou.

Les membres de l'équipe Bond se préparèrent. Ils revêtirent leurs armures protectrices, ajustèrent et serrèrent leur cuirasse, enfilèrent leurs gants rembourrés et dissimulèrent leurs visages derrière des *men*, des masques équipés d'une grille d'acier.

Comme des barreaux, pensa l'esprit embrumé de Jennifer tandis qu'elle fixait son *men*. Des barreaux qui l'emprisonnaient, des barreaux qui l'étouffaient. Sa respiration s'accéléra, comme si elle venait de courir une longue distance et qu'elle était sur le point de s'évanouir. Mais la grille n'était pas la seule chose qui la perturbait : dans son champ de vision, tout paraissait flou et brumeux – elle n'arrivait pas à faire le point. Sans doute le manque de sommeil, se dit-elle, trop de nuits sans dormir. Elle n'arrivait plus à faire face. Spécialement aujourd'hui, le jour de l'anniversaire.

M. Korita, entièrement revêtu, à l'instar de l'équipe Bond, de son armure *dogu*, les réunit et leur parla de la leçon. Jennifer ne parvenait pas à se concentrer sur ce qu'il disait. Elle regarda de gauche à droite. Tout le monde semblait identique, les visages cachés derrière les grilles des masques. Elle ne reconnaissait plus personne. Elle ne savait même plus qui elle était.

M. Korita avait dit quelque chose. Et chacun se mit à choisir son *shinai*. Elle aima la sensation du sabre dans ses mains gantées – quelque chose de dur, de vrai, quelque chose sur quoi l'on pouvait compter.

Un souvenir lui revint à l'esprit : « Maman ! Papa ! Ne me laissez pas ! »

Elle réalisa soudain que les gens masqués qui l'entouraient riaient. Et ils s'éloignaient d'elle, la laissant seule au centre de la salle de gymnastique avec le petit homme qui donnait des ordres.

Il lui donnait des ordres à elle. Il leva son sabre devant lui. Il voulait se battre avec elle. Elle savait qu'elle devait se battre et mit elle aussi son *shinai* en position. Elle se demanda qui était le petit homme.

Tout à coup il fondit sur elle, vif comme l'éclair. Avant même qu'elle puisse faire un mouvement pour se défendre, il la frappa sur les deux côtés du torse ; même si l'impact des coups était amorti par l'armure, elle les sentit passer. Puis, d'un mouvement impeccable et presque invisible de son *shinai*, il fit sauter le sien de ses mains et l'envoya rouler sur le sol.

Jennifer se sentit dépossédée : elle alla ramasser son sabre.

Les autres se moquaient d'elle. Ou était-ce une fausse impression ? N'était-ce pas simplement le bruit du sang qui battait à ses oreilles ? Le bruit du poing qui frappait à la porte. Elle saisit son arme. À genoux, elle assura sa prise sur le sabre et s'accroupit.

Un homme masqué s'avançait vers elle, une arme dans les mains.

Elle sut qui il était. Elle le sut tout d'un coup. C'était lui, l'homme de la nuit, l'homme dans le couloir. Il avait fini par venir la chercher. Mais il ne l'aurait pas. Il ne la prendrait pas. Elle n'était pas faible, pas comme ses parents. Elle était devenue forte. Elle allait lui montrer à quel point. Elle allait leur montrer à tous.

Un cri de rage, de douleur, de fureur s'échappa de la gorge de Jennifer, qui bondit sur ses pieds. Tout son corps tremblait de colère et de haine.

Lui montrer ? Elle allait le tuer.

2

C'était une mauvaise idée de la part de M. Korita d'avoir choisi Jennifer pour sa démonstration, Jake le savait depuis le début. Pas aujourd'hui, alors qu'elle se comportait si bizarrement. Mais cela s'était produit. On aurait dit que leur professeur était capable de sentir les faiblesses passagères de chacun d'entre eux comme une mauvaise odeur : il mettait le doigt dessus et les exploitait impitoyablement. Jake supposa que c'était ce pour quoi il était payé, afin qu'ils restent constamment vigilants. Après tout, un agent secret ne pouvait pas se permettre d'être dans un mauvais jour. Un mauvais jour pouvait vous être fatal.

À propos de fatal...

Dès que Jennifer fut désarmée, il pensa que c'était fini. Fin du combat. Il se trompait. Elle se remit soudain sur ses pieds et bondit sur leur professeur en balançant son *shinai* droit sur sa tête. Même M. Korita parut surpris. Il resta immobile une seconde. Moins d'une seconde. Puis il leva son *shinai* afin de bloquer le coup de Jennifer. Le choc des bambous fit tressaillir l'équipe Bond.

Jennifer ne renonça pas pour autant. Elle attaqua son adversaire sur le flanc, sauvagement, avec l'intention évidente de faire mal. M. Korita para de nouveau le coup. Elle tourna sur elle-même et visa le dos, son *shinai* fendant l'air en sifflant. M. Korita pivota et parvint à éviter le sabre – de très peu. Il tenta de passer à l'offensive, mais Jennifer attaquait sans cesse, avec un acharnement désespéré : elle fonçait bille en tête, le forçant à parer ses coups, et finalement le professeur dut reculer.

– Elle s'en sort bien, approuva Ben.

– Non, elle n'est pas bien du tout, dit Jake d'une voix anxieuse, l'inquiétude se reflétant aussi sur les visages de Lori et Cally. On dirait qu'elle a perdu pied. Elle se bat pour de vrai.

– Que veux-tu dire ? demanda Eddie, se rangeant à l'avis de Ben. Elle est formidable. Vous êtes sûrs que le nom de famille de Jennifer est Chen, et pas Lee ?

– La ferme, Eddie, le rabroua Jake. Et regarde. Il faut arrêter ça avant que quelqu'un soit blessé.

M. Korita semblait partager le même sentiment. Ils l'entendirent crier « *Yame !* » – stop – et « *Shobu-ari* » – fin du combat –, mais soit Jennifer n'écoutait pas, soit elle ne pouvait plus l'entendre. Elle poursuivait son assaut étourdissant, frappant sans relâche le *shinai* du professeur, menaçant à tout moment de briser sa défense.

M. Korita avait apparemment trébuché et il posa un genou à terre.

Jennifer poussa un cri de victoire et leva son arme au-dessus de sa tête comme si c'était la hache d'un exécuteur. La tête de sa victime était baissée devant elle.

– Jen, non ! cria Jake.

Le *shinai* du professeur jaillit soudain et s'enfonça dans l'abdomen de Jennifer. Le coup porta, même à travers l'armure, comme un coup de poignard dans le ventre. En un instant, le combat était terminé. Jennifer tomba en avant, pliée en deux, le souffle coupé, les bras serrés sur son estomac, et son arme rebondit sur le sol. Elle demeura à genoux, agitée de spasmes et de tremblements.

M. Korita s'approcha d'elle et dénoua les ficelles de son masque pour le lui enlever. La chevelure noire de Jennifer jaillit en cascade, comme de l'encre.

– Je suis désolée, haleta-t-elle. Je vous demande pardon.

– Pas maintenant, dit M. Korita pour la calmer. Respire. Doucement, profondément. Ça va aller mieux.

Non, pensa Jake, tandis que les membres de l'équipe Bond faisaient cercle autour de leur camarade à terre, *ça ne va pas aller mieux du tout.*

Il pensait toujours la même chose quelques heures plus tard, devant la porte de la chambre de Jennifer, sachant pertinemment qu'elle se trouvait à l'intérieur, frappant pour qu'elle lui ouvre et accepte de lui parler.

– Jennifer ! Jen ! Tu ne peux pas rester éternellement enfermée là-dedans. Il faudra bien que tu sortes un jour. Écoute, je ne sais pas ce qui ne va pas, mais se taire n'est pas la solution. Laisse-moi t'aider. Laisse-moi entrer.

Dans sa chambre, couchée en chien de fusil sur son lit, Jennifer entendit les appels de Jake mais ne répondit pas. Elle n'osait pas. Elle devait être forte, pour elle, pour sa famille. Aujourd'hui, elle avait été faible dans le cours de M. Korita : elle avait laissé l'anniversaire la perturber et obscurcir son jugement, elle avait laissé libre cours à sa rage intérieure. Elle ne pouvait pas permettre que cela se reproduise. Non, elle ne le permettrait pas.

Une pierre. Une pierre froide. Voilà ce qu'elle devait être. *Sois comme une pierre, apprends tout ce que tu as à apprendre de Spy High, et attend le moment qui viendra forcément – dans la réalité, pas dans les rêves.*

Pourtant, quelque chose la tentait dans la voix de Jake.

– Je veux t'aider, Jennifer, c'est tout.

Elle avait envie de s'y réfugier. Mais se confier à quelqu'un revenait à être vulnérable, et la vulnérabilité était une faiblesse. D'ailleurs, comment Jake pourrait-il l'aider ? Pour l'aider, il faudrait d'abord qu'il la comprenne – et comment pourrait-il la comprendre ?

Mais quand on arrêta de frapper à la porte et qu'elle entendit Jake soupirer puis s'éloigner, Jennifer ne se sentit pas mieux. Elle fut surprise de se rendre compte qu'elle se sentait encore plus mal.

– Bon, combien de temps encore il va nous faire poireauter ? se plaignit Ben en tapotant sa montre avec irritation. On sera tous diplômés avant que Daly arrive si ça continue. Je propose qu'on commence tout de suite, et Jake n'aura qu'à prendre la réunion en cours.

– On ne peut pas faire ça, Ben, dit Cally. Jake est allé voir s'il arrive à raisonner Jennifer, et vu que c'est elle le sujet de notre petite réunion – notre petite réunion derrière son dos, si je peux me permettre de souligner ce détail –, je pense qu'on doit au moins l'attendre.

– Ah, c'est ce que tu penses ? dit Ben.

À part Jake et Jennifer, les quatre autres membres de l'équipe Bond étaient assis autour d'une table, dans un coin tranquille du foyer.

– Qui d'autre pense comme Cally ?

– Probablement tout le monde, ô grand leader, dit Eddie en désignant la porte du doigt, surtout qu'il arrive.

– Tout va bien, Jake ? demanda Lori tandis que leur coéquipier les rejoignait et s'affalait dans un siège. Tu as pu parler à Jennifer ?

– À travers la porte ; elle n'a pas voulu m'ouvrir, répondit Jake en haussant les épaules en signe d'impuissance. Je ne sais plus quoi faire.

– Eh bien, c'est justement pour ça qu'on est ici, non ? insista Ben. Pour décider quoi faire.

– C'est pour ça que *tu* nous as réunis ici, Ben, le corrigea Cally, comme si la nuance faisait toute la différence. Pour ma part, je ne crois pas que nous ayons à *décider* de quoi que ce soit, comme tu l'as dit si aimablement, qu'il s'agisse de Jennifer ou de n'importe lequel d'entre nous.

– Tu diras toujours ça en mission, répondit Ben, quand Jennifer se mettra à déconner à pleins tubes, comme ce matin, et qu'elle mettra notre vie à tous en danger ?

– Ouais, et je me sentirai beaucoup mieux aux derniers instants de ma vie quand tu me murmureras à l'oreille : « Je vous l'avais bien dit », mon cher Ben, lança Eddie avec un petit sourire.

– La différence, dit Cally très sérieusement, c'est que justement nous ne sommes pas encore en mission, et qu'on ne le sera pas avant au moins un an et demi. La différence, c'est que nous sommes toujours en formation, et qu'une formation sert en partie à identifier et rectifier toutes les faiblesses que nous pourrions avoir. Même les tiennes, Ben. Alors non, je ne comprends toujours pas quel est le but de cette petite réunion. Jennifer a un problème, d'accord ; il faut juste qu'elle le résolve, c'est tout.

– Non, ce n'est pas tout, la contra Ben, et tu le sais très bien, Cally. Elle est devenue incontrôlable pendant une leçon d'arts martiaux tout à fait ordinaire. Il n'y avait pas de pression psychologique particulière, rien. Et la voilà qui essaie de défoncer le crâne de M. Korita. Alors ce n'est pas tout. Je parie que si la même chose était arrivée à certains autres membres de l'équipe, tu ne les défendrais pas si vigoureusement.

– Qu'est-ce que tu sous-entends ? demanda Cally d'une voix où perçait la colère.

– Début du premier round, contribua Eddie.

– Ce n'est pas le moment de régler vos comptes, intervint Lori. Calmez-vous. Cally, Ben, personne ne sous-entend quoi que ce soit. On est dans le même camp, non ? On veut tous aider Jennifer.

– Bien dit, Lori, approuva Jake. Enfin une opinion sensible. Alors ne t'arrête pas là ; qu'est-ce que tu proposes ?

– Eh bien..., commença Lori en jetant un coup d'œil nerveux vers son petit ami, je dois dire que Ben n'a pas tort. Le comportement de Jennifer au cours de kendo aujourd'hui... enfin, ce n'est pas juste aujourd'hui, je me trompe ? Ces derniers temps, elle est de plus en plus, comment dire... étrange, renfermée... Je crois qu'il y a un problème.

– Bon, si elle veut prendre des leçons pour développer une personnalité plus chaleureuse, plus positive, offrit Eddie, je suis toujours disponible. À des tarifs très préférentiels.

– Nous voulons aider Jennifer, pas la condamner, dit Jake. Continue, Lori.

– Eh bien il me semble que nous sommes face à un choix. C'est d'ailleurs pour ça que Ben nous a tous réunis ici, non ? reprit Lori diplomatiquement, faisant acquiescer Ben. Cally a raison bien sûr à propos de notre formation, mais aucun des professeurs n'est avec nous en permanence, personne ici ne connaît Jennifer aussi bien que nous. Nous sommes ses coéquipiers, ses amis. Nous sommes mieux placés pour repérer un problème, et voir s'il est grave, que nos professeurs, même après ce qui s'est passé aujourd'hui.

– Je suis d'accord jusque-là, dit Jake – et même Cally approuva, malgré ses réticences. Alors ce choix... ?

– C'est de savoir si nous essayons de régler ce problème entre nous, en soutenant et en aidant Jennifer sans que ça sorte de l'équipe, ou bien si nous informons Grant de nos inquiétudes.

– Dans ce cas les conséquences pourraient être graves, avertit Cally. Elle pourrait même être exclue de l'école, et vous savez ce que ça signifie : lavage de cerveau et retour au bercail, comme si rien ne s'était passé. Aucun souvenir de nous ! Je ne veux pas avoir cette responsabilité sur la conscience. Ce n'est pas une option envisageable.

– Ta conscience n'est pas à l'ordre du jour, Cally, rétorqua Ben. À mon avis, informer Grant est la seule option. Et ce n'est pas la peine de me regarder comme ça. Je n'ai rien de personnel contre Jennifer. Je l'apprécie tout autant que vous. Mais le fait est que si elle est instable...

– Instable ? questionna Eddie. Comment en êtes-vous arrivé à ce diagnostic, docteur Stanton ?

– D'accord, disons qu'elle est *imprévisible* – c'est mieux ? corrigea Ben. Donc, si elle est imprévisible, elle peut tous nous mettre en danger. Vous ne pouvez pas le nier.

Quatre paires d'yeux se baissèrent, suggérant que Ben pouvait bien avoir raison. Ce dernier reprit :

– Quant à la remarque de Cally, sur le fait qu'on ne soit pas censés être en mission, je signale qu'on ne s'attendait pas non plus à être impliqués dans l'affaire Frankenstein ; pourtant, on l'a été. Qui sait ce qui peut arriver à présent avec le CHAOS ? Et même si rien de tel ne se produit, nos leçons quotidiennes ne sont pas totalement dénuées de risques. Nous ne sommes pas tout à fait dans une école normale, je me trompe ? Et est-ce qu'on ne veut pas gagner le Bouclier de Sherlock ? Voilà pourquoi nous avons besoin de pouvoir compter les uns sur les autres. Alors si Jennifer devient un handicap...

– D'accord, Ben, l'interrompit Jake. Ça suffit. Je pense qu'on a tous compris ta position. Mais tu n'es pas tout seul ici et à mon sens cette décision, quelle qu'elle soit, devrait être prise à l'unanimité.

Tous acquiescèrent, même si certains semblèrent le faire à contrecœur.

– Sur le long terme, reprit Jake, Ben aura raison, je dois l'admettre, même si ça ne me fait pas plaisir. Il y aura peut-être un moment où la meilleure chose à faire pour Jennifer sera de consulter un spécialiste, d'avoir une aide psychologique ou je ne sais quoi. Mais on n'en est pas encore là, certainement pas, ajouta-t-il, provoquant des murmures d'approbation. Je pense qu'il est de notre devoir d'aider Jennifer à dépasser ce qui la perturbe actuellement, de lui montrer que nous la soutenons sans réserve, de lui manifester notre loyauté et notre... amitié. Si c'est ce que nous faisons, alors je crois que tout se passera bien, et je vote pour cette option. Et vous, qu'en pensez-vous ?

– Entièrement d'accord, dit Cally.

– Oui. Très bien, dit Lori.

– Excusez-moi, le temps que je sorte mon mouchoir, mais oui. D'accord, dit Eddie.

– On dirait que tout le monde a pris sa décision. Je ne voudrais pas briser cette belle unanimité, mais..., commença Ben.

– Mais c'est bon, lui chuchota Eddie. Au pire, tu pourras toujours nous sortir ton : « Je vous l'avais bien dit. »

Ben rattrapa Jake un peu plus tard, pour une petite discussion en privé. L'un comme l'autre n'avaient plus besoin de faire semblant de s'apprécier. La brève entente que les deux garçons avaient partagée lors de la mission Frankenstein semblait déjà appartenir à un improbable passé.

– Tu as été très éloquent tout à l'heure, attaqua Ben. On en aurait presque oublié que c'était un dômeur qui parlait.

– Viens-en au fait. Je ne voudrais pas te tenir éloigné de ton miroir trop longtemps.

– Le fait est que tu n'as pas dit la vérité, tu n'as pas dit pourquoi tu voulais garder Jennifer dans l'équipe, dit Ben, ravi de voir l'expression de Jake s'assombrir. L'amour est une telle souffrance quand il n'est pas partagé, hein ? Eh bien peut-être que tu vas obtenir quelque chose à présent ; Jennifer va devoir t'être reconnaissante.

Jake jeta à Ben un long regard chargé de mépris.

– Tu peux vraiment être d'une bassesse, parfois, Stanton... Si seulement Lori le savait...

– Lori et moi, c'est pour de bon, répliqua Ben. Nous formons un vrai couple. On se tient la main en public, entre autres choses. Tandis que toi et Jennifer, vous en êtes où, mon petit Jake ? Et laisse-moi te dire une dernière chose : ce ne sera jamais ma copine qui plombera l'équipe. Alors quand ça se produira de nouveau, quand Jennifer se remettra à perdre la boule, ce sera ta faute, tu comprends ? Ta faute.

CCI FICHE D'INFORMATION FBA 8328

... le dernier d'une série de raids sur des repaires connus de techno-terroristes. Un porte-parole du gouvernement a déclaré que l'opération a été un succès, permettant de mettre la main sur du matériel d'une importance capitale dans la traque du CHAOS. La nature exacte de ce matériel n'a pas été dévoilée pour des raisons de sécurité nationale.

« Vous pouvez dormir sur vos deux oreilles, a ajouté le porte-parole. Nos gars travaillent d'arrache-pied sur cette affaire et rien de grave ne peut arriver. »

Toutefois, selon des rumeurs persistantes, le président, le vice-président et les chefs d'état-major des armées auraient été conduits dans une base souterraine secrète...

3

On aurait dit un jour comme les autres, dans une rue comme les autres, pensa Lori. En tout cas, si l'on s'en tenait aux apparences. Une mère avec son bébé dans un landau. Un groupe d'amis qui discutaient en riant au coin de la rue. Un jeune couple qui faisait du lèche-vitrine, dos tournés, indifférents au monde qui les entourait.

Pourtant, l'absence de trafic – aucun véhicule ne passait, aucune voiture garée – était inhabituelle. Elle-même ne marchait pas normalement au milieu de la route. D'habitude, elle ne portait pas non plus de fusil paralysant.

Car aujourd'hui n'était pas un jour comme les autres.

Venant de nulle part, résonnant partout, une sonnerie retentit. Lori se prépara à l'action. C'était son tour dans l'épreuve de tir. Les autres devaient être en train de la regarder sur l'écran de la salle de contrôle. Le chronomètre avait dû se déclencher. L'honneur de l'équipe Bond était en jeu.

Le jeune couple se retourna soudain et lui fit face. Apparemment, ils avaient déjà fait des emplettes. Ils pointèrent leurs armes sur Lori, le doigt sur la gâchette.

Mais ils étaient trop lents. Lori avait pratiquement fait feu avant même que la menace se précise. Les éclairs paralysants frappèrent les silhouettes de ses adversaires.

Ils ouvrirent des bouches silencieuses, furent pris de convulsions tandis qu'une lueur bleutée les traversait en crépitant, se raidirent enfin et s'affaissèrent. L'effet paralysant de son fusil était presque immédiat.

Ce qui valait mieux. Lori se tournait déjà dans une autre direction. Le groupe d'amis ne plaisantait plus, ils n'étaient plus au coin de la rue. Ils s'étaient dispersés le long de la rue et fonçaient sur elle, en lui tirant dessus avec des pistochocs, les balles ricochant sur la route tout près d'elle.

Cette fois, ce serait moins facile. Des cibles multiples, en mouvement, séparées les unes des autres. Elle avait intérêt à viser juste. Heureusement pour Lori, fausse modestie mise à part, elle avait l'œil. Elle élimina d'abord son adversaire le plus proche – c'était toujours la priorité –, les éclairs bleutés le stoppant net et le renversant en arrière. Lori mit un genou à terre. Deuxième priorité : offrir à ses ennemis une cible la plus petite possible. Elle fit feu encore et encore, chacun de ses tirs faisant mouche. Dans la salle de contrôle, elle le savait, ils devaient l'acclamer. Et Ben devait déjà être en train de calculer si son temps serait suffisant pour battre Simon Macey et l'équipe Solo. À ce stade, pensa-t-elle tandis que son dernier assaillant tombait à terre, il aurait déjà pu déboucher les bouteilles de champagne – si l'alcool n'avait pas été prohibé à Spy High.

Lori s'était remise debout. La rue était vide et elle pouvait... ne jamais rien prendre pour acquis. Sur sa gauche, un déclic qu'elle ne connaissait que trop. La mère. L'inattendu. Abandonnant le bébé dans son landau, elle visa la tête de Lori de son pistochoc et tira. Lori plongea vers l'avant en faisant feu simultanément. La mère fut prise de spasmes lorsque l'éclair la frappa de plein fouet. Cette fois, c'était fini, pensa Lori.

Mais on lui avait réservé une dernière surprise. Dans ce programme, les tueurs commençaient tôt leur carrière. Le bébé se redressa dans son landau. Il était armé et dangereux. C'était une cible difficile, mais Lori le toucha au front, juste sous son petit bonnet.

Le bébé ouvrit grand la bouche, comme les autres l'avaient fait, sur un cri silencieux. Car le bébé, comme les autres, était un automate, un robot, une invention du programme.

Seule Lori était réelle – Lori et le décompte du temps.

Elle se précipita vers la porte qui se trouvait au bout de la rue. La partie diurne de l'épreuve était finie. Elle devait maintenant se battre dans le noir.

De l'autre côté de la porte, elle se retrouva plongée dans une nuit totale. Il y faisait noir comme dans un four, à l'exception d'un tracé faiblement lumineux qui émanait du sol, indiquant à Lori le chemin à suivre. Dans un tel environnement, un agent secret ne pouvait plus compter sur sa seule vision s'il voulait s'en sortir. Lori passa en vision radar, retirant d'un coup sec le film spécial de sa ceinture et l'enroulant autour de ses yeux. Il se mit en place automatiquement. À présent, elle pouvait voir non seulement ce qui se passait dans son dos mais aussi sur trois cent soixante degrés autour d'elle. Elle disposait d'un champ de vision circulaire.

Juste à temps. Une silhouette menaçante se matérialisa derrière elle, sur la droite. Lori mit de nouveau un genou à terre et tira.

Raté. Elle fronça les sourcils, incrédule. *Raté ?*

Elle fit feu de nouveau. Touché, mais pas fatalement. Ses tirs n'étaient plus aussi précis dans le noir et le chronomètre continuait de tourner. Au troisième coup, son assaillant s'écroula, mais deux autres approchaient déjà tout en lui tirant dessus. L'air autour d'elle s'électrisa.

Lori roula sur le sol tout en envoyant des éclairs paralysants dans les jambes de ses adversaires. Ils tombèrent, mais elle perdait un temps précieux. Son cœur s'emballait, sous le coup de l'anxiété. Qu'avait dit Ben déjà, à propos du cours de maniement d'armes qu'elle avait séché? Pendant ce temps, d'autres apparurent entre elle et la sortie. « Lacey nous a présenté le dernier modèle de fusil paralysant. » Elle tira. Et rata. Elle tira encore. « À lunette infrarouge pour tirer dans le noir. » Et loupa de nouveau sa cible.

Elle ne savait pas comment faire. Comment activait-on la visée infrarouge?

Ses assaillants avançaient sur elle. Ils la tenaient en joue à présent. Elle leur avait laissé trop de temps.

Dans la salle de contrôle, les acclamations avaient dû laisser place au silence. Lori pouvait imaginer la tête de Ben. Blanc comme un linge. Et que lui avait-elle répondu déjà? « Elle vous a présentés? Eh bien j'espère que vous serez très heureux ensemble. » À l'avenir, elle ferait peut-être mieux de laisser les sarcasmes à Eddie.

Frénétiquement, Lori tripotait son fusil paralysant. Ce qui n'allait pas lui servir à grand-chose. Elle entendit ses adversaires faire feu.

Et elle mourut. Non, Ben n'allait pas être content du tout.

Elle avait raison. Ben n'était pas content. C'était déjà une sorte de petit miracle qu'il ait réussi à contenir sa fureur contre elle aussi longtemps, pendant que les autres se montraient compréhensifs et lui assuraient qu'elle n'avait pas eu de chance, et que cette contre-performance ne changerait rien au résultat final – l'équipe Bond était encore trop bonne pour être battue par Macey et ses acolytes. Mais Lori pouvait dire rien qu'en voyant le visage écarlate de Ben – comme si à l'intérieur il bouillait – qu'il n'était pas vraiment du même avis.

– On peut se voir, Lori ? grommela-t-il, sans même se donner la peine de desserrer les lèvres. Seulement toi et moi. Dans une salle vide, par exemple.

Lorsqu'ils se retrouvèrent seuls, l'éruption de Ben aurait pu enterrer une ville trois fois plus grande que Pompéi.

– Mais à quoi tu joues ? Tu te rends compte de ce que tu as fait, Lori ?

– Je suis désolée, Ben.

Elle baissa la tête, honteuse, sachant très bien qu'il avait raison.

– Ça ne sert à rien de dire qu'on est désolé ! lui rétorqua Ben en hurlant. C'est bon pour les perdants. Et tu sais quoi, bébé ? À toi toute seule, tu as peut-être réussi à faire de nous des perdants. Regarde où en sont les scores. La bande de Macey et nous, on est au coude à coude. Alors que si tu avais mis un peu du tien dans cette épreuve, on serait loin devant.

– Je sais que c'est ma faute, Ben, admit Lori servilement.

Elle ne supportait plus son regard sur elle. Elle avait l'impression d'être une petite fille qu'on grondait. Elle se souvint à quel point elle était effrayée par le moindre mot de reproche de son père.

– Bien sûr que c'est ta faute, Lori, la réprimanda Ben. C'est ce qui me rend fou. Tu jouais au bon Samaritain avec ce vieux sénile de Gadget alors que tu aurais dû être avec nous en train d'apprendre comment te servir de la visée infrarouge sur le fusil paralysant. Et visiblement, tu ne t'es même pas donné la peine de rattraper la leçon sur ton temps libre ; résultat : tu t'es rétamée à l'épreuve et tu nous a fait perdre des points essentiels.

– Ben... je t'en prie...

Mais Lori ne pouvait nier aucune de ses accusations.

– Alors qu'est-ce qui se passe, Lori? Tu es passée dans le camp de Simon Macey, c'est ça?

– Non, bien sûr que non, répondit Lori, choquée. Comment peux-tu dire ça? Comment peux-tu penser...?

Elle tendit les bras vers Ben.

Il recula avec dédain, comme un riche face à un mendiant.

– Je n'ai pas envie de te toucher pour le moment, Lori, lui dit-il froidement. Pour le moment, je ne suis même pas sûr d'avoir envie de te regarder. Tu m'as laissé tomber, tu comprends? Je ne peux pas... Tu m'as laissé tomber, répéta-t-il, le visage déformé par une expression de souffrance.

Il tourna les talons et sortit en coup de vent de la pièce. Sa colère avait dû le rendre sourd. Il ne répondit à aucune des prières de Lori, qui lui demandait de revenir pour qu'ils parlent. Sa rage avait dû le rendre aveugle aussi. Il ne remarqua pas Simon Macey, dissimulé derrière la porte d'entrée de la salle de classe, qui avait écouté avidement chaque syllabe de leur discussion.

Simon sourit en hochant la tête. Il observa encore l'air malheureux de Lori par l'entrebâillement de la porte. Et il se mit à échafauder un plan.

CCI FICHE D'INFORMATION FBA 8330

... un boom inattendu de la consommation à la suite des atrocités perpétrées par le CHAOS.

«À quoi ça sert d'économiser maintenant? a répondu un de ces acheteurs frénétiques. Si le CHAOS réussit son coup, on n'a plus tellement d'avenir devant nous. Alors moi, je vais m'en payer une sacrée tranche avant que ça tourne à la catastrophe.»

Jennifer se tapit dans les buissons qui longeaient la piste d'athlétisme et regarda Jake courir. Il avait déjà effectué plusieurs tours et son maillot semblait trempé de sueur, mais il ne donnait pas l'impression d'être près de s'arrêter. Ses membres se mouvaient machinalement, son visage affichait un air dur et déterminé ; comme s'il courait après quelque chose qu'il ne parvenait pas à attraper.

Une partie de Jennifer appréciait de le regarder en secret, admirait la force qui se dégageait du corps de Jake, la puissance de ses jambes. Une partie. Mais une autre partie se demandait ce que diable elle faisait là, cachée dans le sous-bois comme une espèce de voyeur. Si vraiment elle se sentait plus en forme, pourquoi n'était-elle pas à l'hologym, en train de pratiquer son kendo, son judo, son karaté ou quoi que ce soit qui lui permettrait de se défouler dans un des programmes de combat ? Si vraiment elle se sentait mieux, pourquoi ne s'était-elle pas excusée auprès des autres de son comportement récent ?

Parce que Jake n'était pas à l'hologym, ni avec les autres, voilà pourquoi. Jake était ici. Si seulement elle pouvait trouver le courage de l'approcher.

Si les pensées des gens réels s'inscrivaient dans des bulles au-dessus de leur tête, comme celles des personnages de bande dessinée, cela aurait peut-être aidé Jennifer. Car elle se serait aperçue que l'esprit de Jake était entièrement occupé par un sujet, et que ce sujet c'était elle.

Il avait pensé qu'une bonne longue course l'aiderait à se détendre, ou en tout cas l'aiderait peut-être à trouver une solution au cas Jennifer Chen. Mais cela ne l'aidait en rien. Pourquoi fallait-il que ce soit si difficile ? se demanda Jake. Pourquoi n'avait-il pas pu tomber amoureux de Cally, lorsqu'elle lui avait avoué ses sentiments envers lui juste avant Noël ? Ou pourquoi Jennifer ne pouvait-elle pas être aussi franche et ouverte que Lori? Pourquoi le fait de ne pas avoir de petite amie, de ne pas être avec Jen, le faisait-il se sentir si inférieur à Stanton, le Roméo de service? Au fond, songea sombrement Jake, pourquoi était-il aussi peu doué avec les filles?

Le côté pitoyable de sa situation lui donna soudain envie de rire. Ce qu'il fit. Il leva les yeux vers le ciel, qui s'ouvrait au-dessus de lui comme un champ bleu infini, et éclata de rire. La vision du ciel lui faisait toujours du bien. En tout cas de ce ciel-là – le ciel libre, non filtré, le ciel en dehors des dômes. *Bon, d'accord,* se raisonna Jake, *admettons que j'ai un petit problème avec Jen; mais les choses pourraient être pires.* Il pourrait être de retour sous le dôme 13, dans l'Oklahoma, emprisonné dans une cage de verre et d'acier. «Contente-toi de ce que tu as», lui disait toujours son grand-père. D'accord, alors ça faisait une raison d'être content.

Jake ralentit sa foulée, puis s'arrêta. Au loin, Cally et Eddie couraient vers lui en criant son nom et en lui faisant de grands signes. Il y avait une urgence dans la voix de Cally, une note d'inquiétude qui glaça la sueur dans son dos et le fit trembler plus que d'épuisement. Pour la seconde fois ces derniers jours, Jake se demanda: qui est mort? Les parents de qui?

– Oh! Jake, Jake, dit Cally, folle d'angoisse. On vient juste de l'apprendre. Par le CCI. Il est arrivé quelque chose de terrible.

– Qu'est-ce qui est arrivé, Cally? demanda Jake en l'agrippant par l'épaule. Dis-le-moi.

Même à cette distance, où elle ne pouvait pas entendre les paroles de ses coéquipiers, Jennifer comprit qu'il y avait des nouvelles graves. Mais elle devait rester en dehors. Impossible de le rejoindre maintenant. Elle ne pouvait pas simplement se relever et débarquer tranquillement sur la piste d'athlétisme. Elle resta donc accroupie derrière les buissons, honteuse.

– Il y a eu une autre attaque, dit Eddie, pour venir en aide à Cally. Une autre attaque du CHAOS, Jake, expliqua-t-il – et c'est le sérieux inhabituel de son ton qui troubla le plus Jake, rendant Eddie presque méconnaissable, et cet instant irréel. Jake, ils ont détruit un dôme.

– Ils ont détruit un dôme, répéta Jake – ce n'était donc pas irréel, c'était un fait. Lequel?

Il connaissait déjà la réponse, mais ne put s'empêcher de répéter:

– Lequel?

Les yeux de Cally se brouillèrent de larmes. Un simple mot, un mot terrible:

– Le tien.

4

Ce matin-là, Beth emmena Peggy et Glubb dans les champs. C'était une sorte de récompense car Peggy et Glubb avaient été de très gentilles poupées ces derniers temps et Beth leur avait donc promis de leur montrer le monde. Et quand on allait dans les champs, on pouvait presque voir le monde entier. Il s'étendait là, dans toutes les directions, aussi loin que la vue pouvait porter : l'étendue infinie des champs de blé, telle une mer d'huile jaune, avec toutes ces petites fermes qui surgissaient çà et là comme des navires avec des murs en guise de voiles.

Le monde, c'était un peu trop d'émotions pour Peggy et Glubb, qui se mirent à pleurer. Elles ne pouvaient plus voir leur maison et tout était un peu trop grand pour elles, qui étaient encore si petites. Beth les serra dans ses bras et leur fit des bisous pour les rasséréner.

– Vous ne devez pas avoir peur, leur dit-elle. Notre monde, c'est seulement le dôme, et à l'extérieur du dôme il y a un autre monde avec des villes et tellement de gens que c'est impossible de les compter ; en plus, ils parlent tous en même temps, et c'est là-bas que Jake est parti.

Elle pensait beaucoup à son grand frère. Elle était triste parfois quand elle se remémorait la scène de son départ – ses disputes avec Maman et Papa, qui ne voulaient pas le laisser s'en aller. Où était-il parti déjà ? Dans une école quelque part, se souvint Beth. Pourquoi toutes ces histoires alors qu'il allait simplement à l'école ? Mais elle se rappela le baiser d'adieu de Jake, et que Papa n'avait pas voulu l'accompagner jusqu'au bus et qu'elle avait regardé son frère s'éloigner au loin, sa silhouette rétrécissant jusqu'à disparaître parmi les champs infinis. Elle se rappela et elle se mit à sangloter.

Maintenant, c'était au tour de Peggy et Glubb de la consoler.

– Ne pleure pas, lui dirent-elles, même si elles étaient faites de chiffon et ne parlaient pas comme ces jolies poupées animées que Beth avaient vues dans une vitrine de magasin de la Zone frontière. Jake reviendra un jour, dirent-elles encore, même si elles n'avaient pas de bouche. Il reviendra un jour et vous serez de nouveau ensemble.

Bien sûr qu'il reviendrait. Jake le lui avait promis, pas vrai ? Il ne quitterait pas sa petite sœur pour toujours. Beth câlina ses poupées pour les remercier ; Peggy était assez jolie, même sans bouche, pour devenir mannequin plus tard ; quant à Glubb, eh bien... tout le monde ne pouvait pas devenir mannequin, après tout.

Elles s'allongèrent toutes les trois et restèrent à contempler le ciel et le plafond au-dessus du ciel, les arches de métal brillant et les panneaux de verre étincelants du dôme. Peggy et Glubb tremblèrent. Beth éclata de rire.

– Idiotes ! Le dôme, ce n'est pas quelque chose d'effrayant, les rassura-t-elle.

Elle se souvint toutefois de ses peurs de bébé, l'idée que la structure au-dessus d'elle était en fait une gigantesque toile d'araignée et qu'elle, Maman, Papa et Jake étaient comme des mouches qui étaient prisonnières dedans : quelque part, il devait y avoir une araignée qui avait tissé la toile et un jour (ou plus probablement une nuit) elle reviendrait tous les chercher.

Mais évidemment, c'étaient des bêtises de bébé. C'est son papa qui le lui avait dit. Il avait dit que le dôme était là pour les protéger, pour leur assurer sécurité, chaleur et confort, qu'il rendait le sol riche et faisait pousser les récoltes. Le dôme était bénéfique, avait dit Papa. Alors lui et Beth étaient amis à présent, et c'est ce qu'elle expliqua à Peggy et à Glubb.

– Le dôme sera toujours là, leur dit-elle.

Au-dessus d'elle, les traverses métalliques se mirent à trembler, comme sous le coup d'une peur soudaine. Les panneaux de verre vibrèrent comme s'ils cherchaient à s'échapper.

– Le dôme est bon pour nous. Le dôme veille sur nous. Le dôme est notre ami.

Le dôme vibra de plus belle et Beth sursauta. Des arcs d'énergie crépitante – que la petite fille aurait sans doute pris pour des éclairs si elle avait déjà vu un orage – se formèrent autour des arches d'acier qui maintenaient la structure, les entourèrent comme des doigts, les pressèrent comme des poings. Avec une puissance indescriptible.

Qui les réduisit en pièces.

Le dôme émit un grincement d'agonie. Il fit écho à Beth qui avait bondi sur ses pieds et poussait un cri vers le ciel. Elle était glacée d'effroi.

Elle aperçut quelque chose derrière le verre, quelque chose de sombre et de maléfique qui se tapissait là-haut. Quelque chose qui ne connaissait que la mort. Elle sut alors, comme une certitude instantanée, foudroyante et terrifiante, qu'elle avait eu raison depuis le début.

Elle n'eut pas le temps de s'appesantir sur cette révélation. Avec un grincement assourdissant de métal tordu qui fit trembler la terre, les arches d'acier s'écroulèrent. Le ciel se déchira et s'ouvrit comme une plaie béante. Les panneaux de verre se brisèrent et des éclats se fichèrent dans le sol comme des icebergs. Pour la première fois, le dôme laissait passer une averse.

Trop terrifiée même pour crier, Beth s'enfuit vers sa maison. Trop terrifiée même pour penser à Peggy et Glubb, elle les oublia dans le champ – qu'elles se débrouillent comme elles le pouvaient. Il ne restait plus de place dans l'esprit de Beth que pour une seule pensée.

Le ciel leur tombait sur la tête.

CCI FICHE D'INFORMATION FBA 8345

... mais il était déjà trop tard. On n'a pas pu procéder à d'autres évacuations, et les habitants du dôme ont dû se débrouiller par eux-mêmes. Les fermiers et leurs familles, coupés du monde, se sont abrités où ils pouvaient en priant pour que les chutes de débris mortelles ne les atteignent pas.

Des équipes d'urgence en provenance de tout l'État sont à présent sur les lieux. Les dômes restants ont été évacués en prévision d'autres attaques. Le nombre exact des victimes ne sera sans doute pas connu avant plusieurs jours et les hôpitaux des environs ont déjà dépassé les limites de leurs capacités d'accueil...

Ils ne laissèrent pas Jake approcher du CCI. Lui faire voir la destruction du dôme multipliée une centaine de fois sur les écrans, accompagnée des cris de milliers de voix, n'aurait pas été une très bonne idée. Cally et Lori doutaient qu'il fût même recommandé pour Jake de voir un simple flash d'informations ; mais il leur adressa un tel regard de souffrance, de passion et d'orgueil mêlés qu'elles surent qu'elles ne pouvaient décemment pas l'en empêcher. Jake avait besoin de constater par lui-même ce qui s'était passé.

Après tout, le dôme avait été sa maison.

Et ce n'était pas beau à voir. L'équipe Bond au grand complet s'était réunie avec Jake dans la chambre des garçons. La catastrophe passait à la télévision, bien sûr, sur toutes les chaînes, le même film diffusé en boucle comme une tragédie sans fin. Jake n'avait même pas pris le temps de se changer. Il s'en fichait, de sa tenue. Il dévorait l'écran des yeux, avec une expression d'avidité et de souffrance, s'accrochant à l'espoir improbable d'apercevoir sa mère, son père ou la petite Beth parmi les survivants, enveloppés dans des couvertures, à qui les membres des équipes d'urgence servaient des boissons chaudes. Il cherchait le moindre signe indiquant qu'ils étaient encore vivants.

Ben pensait qu'il ne le trouverait pas, mais il ne fit aucun commentaire. La catastrophe était encore trop récente pour que les autorités aient pu établir un bilan des blessés et des victimes. Il regarda l'écran. Le dôme s'était brisé comme une coquille d'œuf et la terre fertile qu'il surplombait était jonchée de gigantesques éclats de verre et de poutrelles tordues, de taille colossale, qui avaient écrasé bon nombre de fermes et d'habitations. *Un vrai carnage*, se dit Ben sombrement. C'était vraiment le chaos.

Il se sentit honteux. Combien de fois avait-il tourné en ridicule les origines de Jake ? Combien de fois l'avait-il traité de « dômeur » pour le dévaloriser et l'insulter ? Trop de fois, et chacune revenait à présent lui donner mauvaise conscience. Qui était-il pour dénigrer et mépriser les gens de la sorte, simplement parce qu'ils travaillaient la terre et étaient pauvres, alors que son père possédait des immeubles entiers et était riche ? Aujourd'hui, une bonne partie de ces gens dont il s'était moqué étaient morts ou avaient perdu tous leurs moyens d'existence.

Ces gens, c'étaient ceux qu'il était censé protéger au terme de son entraînement à Spy High.

Ben ne put supporter plus longtemps les images à la télévision. Il détourna le regard vers ses coéquipiers. Cally et Lori entouraient un Jake malade d'angoisse, chacune lui tenant une main, et tentaient de le réconforter du mieux qu'elles pouvaient. Lori se tenait serrée contre Jake, mais pour une fois Ben ne s'en préoccupa pas. Eddie, réduit au silence par la gravité des événements, rôdait près de la porte, mal à l'aise. Jennifer s'était assise, les épaules voûtées, sur un lit, et jetait de loin en loin d'étranges regards à Jake, avec une expression d'attente et de crainte mêlées, mais gardait elle aussi le silence.

Soudain Jake bondit sur ses pieds et s'écria en désignant l'écran du doigt :

– Je connais cette ferme ! C'est celle du vieux Frank Sanders. On dirait... Est-il... ? La nôtre... c'est celle juste après... (Il se libéra des mains des filles.) Je pars. Je dois y aller. Ils ont besoin de moi. Ma famille a besoin de moi. Je vais les aider.

Jennifer se mit à pleurer en silence, mais personne ne la remarqua.

Toute l'attention était fixée sur Jake qui se précipitait vers la porte.

– Jake, attends ! s'écria Cally. Quelqu'un... retenez-le !

Ben s'interposa entre Jake et la porte. Eddie en revanche s'était effacé.

– Tu me barres le chemin, Stanton, grogna Jake. Écarte-toi, ou bien c'est moi qui vais t'écarter, et crois-moi, tu n'as pas envie que ça arrive.

Ben vit dans les yeux de Jake qu'il ne plaisantait pas. Tout dépendait maintenant de ce qu'il allait dire.

– Écoute-moi, Jake – *et fais-moi confiance pour une fois*, ajouta-t-il en son for intérieur, sans grand espoir. Tu ne peux pas partir comme ça. Je ne peux pas te laisser... pas dans ton état. Si tu quittes l'école maintenant, sans permission, tu seras expulsé, tu le sais bien.

– Il a raison, Jake, s'élevèrent plusieurs voix.

– Je m'en fiche, lâcha Jake sur un ton où s'exprimaient colère, douleur et frustration, des sentiments qu'il ne pouvait pas contrôler. Comment veux-tu que je m'en soucie alors que ma famille... (Il poussa Ben du plat de la main.) Stanton, je te préviens...

– Non, Jake, écoute : Grant est en train de vérifier pour ta famille. Il va découvrir ce qui leur est arrivé. Bientôt. Avant même les rapports officiels. Tu dois attendre. Tu dois rester ici.

– À quoi tu joues, Stanton ? demanda Jake, soudain méfiant. Pourquoi tu t'en soucies, tout à coup ?

C'était l'ouverture que Ben attendait, l'occasion de lui dire que oui, il s'en souciait, de s'excuser et peut-être même d'arranger les relations entre lui et Jake.

Le directeur Grant entra dans la chambre à ce moment précis. Son visage était aussi gris que ses cheveux.

Le silence. Instantané. Absolu.

– Monsieur... ? dit Jake dans un souffle.

Grant lui retourna son regard.

– J'ai des nouvelles...

Une demi-heure plus tôt, Grant était assis dans les appartements de Jonathan Deveraux, appartements dans lesquels on ne pouvait entrer sans l'autorisation expresse du fondateur en personne. Le directeur se passait la main dans les cheveux, un geste presque obsessionnel lorsqu'il était inquiet, mais Deveraux ne sembla pas y prêter attention. Ces jours-ci, il y avait beaucoup de détails significatifs auxquels il ne semblait pas prêter beaucoup d'attention.

L'agent du CHAOS sur l'écran vidéo n'en faisait pas partie.

– Nous avons parlé à nouveau, entonna le masque en négatif – ce pouvait être le même homme qu'avant ou un autre, impossible de le dire. Et notre voix a détruit un dôme. Le CHAOS est arrivé chez vous, Amérique. Le CHAOS a foulé vos champs et écrasé vos récoltes. Le CHAOS peut vous apporter la famine, entre autres choses. Si nous le voulions, nous pourrions balayer d'un revers de main chacun de ces dômes dont vous êtes si fiers, les écraser comme des œufs. Mais nous avons décidé de nous en abstenir.

– Pourquoi cette générosité soudaine? grommela Grant. Ne me dites pas que Dieu les a remis dans le droit chemin.

– Leurs exigences, dit Deveraux.

– Nos exigences, reprit l'agent. Le Combat pour l'Holocauste, l'Anarchie et l'Occultation de la Société est offensé par ces institutions ridicules qui se sont proclamées gouvernements à travers le monde – ces corporations inutiles d'hommes et de femmes qui ne voient que leur propre intérêt et qui restreignent les aspirations plus larges des peuples en imposant des lois risibles que subissent les opprimés sur la planète entière. Le Combat pour l'Holocauste, l'Anarchie et l'Occultation de la Société rejette les lois. Nous répudions les faiseurs de lois. C'est pourquoi nous demandons la démission de tous les soi-disant gouvernements du monde entier dans un délai d'une semaine. Si le monde a pu être créé en une semaine, alors le CHAOS pourra le réformer dans la même période. Et attention: toute désobéissance sera sévèrement punie. Si vous ne cédez pas à notre ultimatum, d'autres dômes seront détruits. Car nous sommes le CHAOS, et...

– Il y en a encore pour longtemps, monsieur ? demanda Grant.

– La suite est du même tonneau, dit Deveraux. Elle ne nous apprend rien de plus. (Le visage grimaçant s'évanouit et laissa place à un écran blanc.) Vous allez me parler de Jake Daly, j'imagine.

– Nous faisons le maximum pour découvrir ce qui est arrivé à sa famille, monsieur. Ses coéquipiers sont avec lui en ce moment, je crois, mais il est apparemment bouleversé. Qui ne le serait pas ?

– Bien sûr... bien sûr, dit Deveraux d'un air plus pensif qu'inquiet, comme s'il se comptait lui-même au nombre de ceux qui ne le seraient pas.

– Au moins, maintenant, nous connaissons leurs exigences, dit Grant pour relancer la conversation. Impossibles à satisfaire, évidemment, mais avec un nouveau contact nous devrions être capables de renégocier le délai pendant qu'une de nos équipes remontera la piste du CHAOS.

Grant se tut, car Deveraux ne semblait pas l'avoir écouté.

– Monsieur ?

– Que les Daly soient morts ou vivants, Jake va vouloir rentrer chez lui, n'est-ce pas ?

Grant était dérouté. Quel rapport avait le comportement potentiel d'un de ses étudiants avec tout ça ? Ces derniers temps, Deveraux le déconcertait de plus en plus.

– Ah ! et on dirait justement que d'importantes informations à ce sujet viennent d'arriver...

– Ils sont vivants ? (Même si c'était tout ce que Jake voulait entendre, c'était plus qu'il n'avait osé espérer.) Ils sont vivants ? Ma petite sœur aussi ?

– Tous, dit Grant. Vivants et indemnes. C'est exact.

– Ils sont vivants, répéta Jake en riant, en pleurant et en secouant la tête tandis que ses coéquipiers s'étaient groupés autour de lui pour partager son émotion.

À l'exception de Ben, qui gardait ses distances pour ne pas risquer d'être taxé d'hypocrite. Et à l'exception de Jennifer, qui semblait perdue dans ses propres pensées.

– Je suis si contente, dit Lori en entourant Jake qui tremblait encore dans ses bras et en le serrant fort. Nous sommes tous si contents pour toi.

– Il y a autre chose, reprit Grant qui se détourna de Jake d'un air presque coupable et s'adressa à Ben : M. Deveraux a accordé trois jours de permission à Jake pour rentrer chez lui, revoir sa famille et leur apporter l'aide qu'il pourra.

– Merci, dit Jake, la voix serrée par l'émotion. Remerciez M. Deveraux de ma part.

– Et il tient à ce que vous soyez accompagné, ajouta Grant. Ben, en tant que leader de l'équipe, naturellement, et deux autres personnes. Ceux qui ne partiront pas resteront à l'école pour assurer une permanence de l'équipe Bond.

– Mais pourquoi ?...

Ben ne comprenait pas vraiment l'utilité de la chose.

– Pour soutenir Jake, en premier lieu, dit rapidement Grant, mais M. Deveraux pense aussi que cela vous donnera l'occasion de fureter sur les lieux et peut-être, vu votre petite expérience avec le CHAOS, de trouver un indice, une piste.

Ben se reprit. Ainsi, Deveraux faisait de nouveau appel à lui. Il sentit son orgueil revenir, une émotion bien plus agréable que la honte. Il rêva au hall des Héros et s'y vit immortalisé pour la postérité.

– Bien sûr, annonça-t-il. Nous ferons tout ce que souhaite notre fondateur.

– Je n'en espérais pas moins, dit Grant avec un sourire légèrement ironique. Choisissez votre équipe. Vous partez ce soir.

– Cally, décida aussitôt Ben. On peut avoir besoin de tes talents d'informaticienne.

Cally acquiesça et passa son bras autour de la taille de Jake.

– Et..., commença Ben.

Il passa en revue Eddie, Jennifer et Lori. Il pouvait laisser Eddie, bien sûr. Il n'était même pas dans le pavillon de Frankenstein lorsqu'ils avaient eu affaire au premier agent du CHAOS. Eddie n'apporterait rien. Il restait donc à choisir entre Jennifer et Lori. Or le choix s'imposait de lui-même. D'un côté, Jennifer, qu'il avait tenté la veille encore de faire suspendre de l'équipe afin qu'elle suive une aide psychologique ; de l'autre, Lori, sa petite amie, qui le trimestre précédent avait terminé seconde, juste derrière lui, à tous ses examens.

Oui, pour Ben, c'était tout vu.

Au début, elle crut qu'elle avait simplement mal entendu. Jennifer. Lori. Ça sonnait un peu pareil, non ? On pouvait facilement les confondre, n'est-ce pas ? Ce devait être ça. Le nom que Ben avait prononcé, son choix final, avait seulement sonné comme Jennifer. Mais en fait, il avait dit Lori. Le contraire n'aurait pas de sens. Eh bien non, effectivement. Malheureusement pour Lori, et à sa grande stupéfaction, Jennifer voulait bien dire Jennifer. Ben avait donc sélectionné Jennifer plutôt qu'elle. Il lui avait préféré Jennifer.

Plus tard, lorsqu'ils se retrouvèrent seuls tous les deux, tandis que Ben préparait son départ, Lori demanda :

– Pourquoi, Ben ? Je veux dire, je sais que c'est toi le leader de l'équipe, et que ce n'est pas à moi de critiquer tes décisions dans ce domaine mais, après tout ce que tu as dit sur l'imprévisibilité de Jennifer...

Elle pensait à l'épreuve de tir. Elle ne pouvait pas s'en empêcher.

– Et vous, vous disiez tous qu'il fallait lui apporter notre soutien total, répondit Ben. C'est peut-être justement ce dont Jennifer a besoin : sortir un peu de l'école, se changer les idées, qui sait ?

Mais Ben n'osait pas regarder Lori dans les yeux, voir la peine qu'il lui faisait. Ben pensait à l'épreuve de tir lui aussi, et à ce qui avait véritablement motivé son choix. Il commençait déjà à regretter sa décision. Le sentiment de culpabilité rôdait de nouveau autour de lui, comme un flic tenace qui l'aurait eu dans le collimateur.

– Eh bien, dit Lori, si c'est la seule raison...

– Quelle autre raison pourrait-il y avoir ? dit-il en tentant de ne pas paraître sur la défensive, et en se promettant d'aplanir les choses avec Lori quand il reviendrait. Écoute, Lori, il y a autre chose. Je veux que tu restes ici parce que j'ai besoin que quelqu'un garde un œil sur Simon Macey, juste au cas où il tenterait quelque chose pour prendre l'avantage dans la course au Bouclier de Sherlock. Tu comprends ? J'ai besoin d'une personne de confiance, Lori. Et c'est toi.

Son visage s'éclaira. Ben avait besoin d'une personne de confiance. Et c'était elle. Elle avait eu tort de douter de lui. Il avait de toute évidence oublié sa contre-performance à l'épreuve de tir. Bien sûr, elle aurait quand même préféré les accompagner au dôme, mais elle devait se conduire en professionnelle et elle ferait de son mieux. Ben comptait sur elle.

Aussi, le soir même, c'est de bon cœur qu'elle alla leur dire au revoir, et elle étreignit tout spécialement Jake.

– Fais attention, lui dit-elle. Je penserai à toi.

– OK, allons-y, les pressa Ben. On reste en contact ; on vous tiendra au courant de ce qui se passe.

– Très bien, dit Eddie. On attend ça avec impatience, pas vrai, Lori ?

Il y eut encore des embrassades, des signes de la main et des au revoir. Les deux tiers de l'équipe Bond partirent pour les dômes. Un tiers resta devant l'entrée principale de l'école Deveraux, dans la cour envahie par l'obscurité du soir qui tombait.

Eddie donna un coup de coude à Lori.

– On dirait bien que nous sommes officiellement devenus l'équipe B, tu ne crois pas ? C'est toujours plaisant de savoir quel est son rang dans le monde, non ? Hé, j'ai une idée ! On pourrait toujours se consoler entre nous et avoir une relation follement passionnelle tous les deux, qu'en penses-tu ? Si tu es partante, je suis prêt.

– Eddie, dit Lori qui ne put retenir un sourire : dans tes rêves.

– Vraiment ? Je ferais mieux d'aller me coucher tout de suite alors. Tu viens ? À l'intérieur, je veux dire.

– Pourquoi pas ? soupira Lori. Ça ne sert à rien de rester là.

Elle suivit Eddie vers l'entrée du bâtiment.

Simon Macey se trouvait à la porte. Son regard était braqué droit sur elle. Elle l'aperçut un bref instant. Puis il disparut.

– Eddie, tu as vu Simon... ?

– Qui ? Non. Je crois que ma vue a un peu baissé après cette scène d'adieux pleine de larmes. Il va falloir que tu m'aides à retrouver ma chambre.

– Parfois, je me demande si tu ne prends pas un plaisir malsain à te faire rembarrer.

Lori était gênée, mal à l'aise. « Garde un œil sur Simon Macey », lui avait dit Ben. Apparemment, c'était plutôt Simon Macey qui gardait un œil sur elle.

5

CCI FICHE D'INFORMATION FBA 8350

... contre les accusations d'avoir pris à la légère les menaces du CHAOS, au vu des derniers événements. Au milieu des huées et des sifflets, le porte-parole a admis qu'aucune piste n'avait encore été trouvée pour découvrir les bases du CHAOS, mais il a assuré que toutes les ressources de l'administration avaient été mises en branle pour tenter de résoudre cette crise et que ce n'était à présent qu'une question de temps. Le gouvernement, a-t-il ajouté, ne démissionnera pas, une décision accueillie par des cris comme « c'est une honte ! ».

Ainsi, pendant que les politiciens papotent et que les militaires pataugent, le monde retient son souffle et attend, en espérant que quelqu'un, quelque part, sait ce qu'il fait...

À la Zone frontière, les quatre membres de l'équipe Bond montèrent sur les aéromotos qui les attendaient et se dirigèrent sans délai vers la ferme des Daly. Deux jours plus tôt, ce voyage aurait été plaisant : ils auraient baigné dans une chaleur parfaitement contrôlée, rafraîchis par la légère brise artificielle qui balayait les champs, respirant un air filtré et purifié. Ils auraient pu admirer à perte de vue les champs dorés, les récoltes abondantes d'une terre en paix avec elle-même. Mais la catastrophe ne datait que de deux jours, et le sol était encore parsemé des débris mortels du dôme. Une pluie battante tombait du ciel obscur, une pluie que la science ne contrôlait pas et contre laquelle ils ne pouvaient plus se protéger.

Les grands espaces ouverts rendaient Cally nerveuse, plus nerveuse même que la vue des morceaux de métal déchiqueté qui émergeaient des terres qu'ils survolaient, comme des œuvres d'art abstrait. Cally était née et avait grandi en ville. Elle aimait les murs, elle aimait les rues, elle aimait sentir se presser des gens et des choses autour d'elle. Ici, dans les dômes, on avait vite fait de se perdre. Elle espérait qu'ils atteindraient la ferme de Jake bientôt. Elle voulait entrer à l'intérieur d'un bâtiment et fermer la porte.

Ben n'aimait pas trop les dômes, lui non plus, mais pour d'autres raisons que Cally. L'endroit lui semblait si limitatif, si étouffant – une véritable prison pour les ambitions. Évidemment, ce trou dans le dôme au-dessus de leurs têtes représentait sur le moment une véritable tragédie ; mais, sur le long terme, cela ne pourrait-il pas être un bien pour certains des survivants ? Ne pourrait-il pas leur rappeler qu'il existait un monde au-delà de leurs champs et de leurs fermes, un monde de rêves et de possibilités ? Cependant, rien qu'à voir les visages effrayés qui se levaient vers eux lorsqu'ils passaient sur leurs aéromotos, des visages qui lui évoquaient des moutons égarés, Ben comprenait que les habitants du dôme ne voyaient pas les choses comme lui – ne pouvaient ou ne voulaient pas les voir ainsi. Les dômeurs ne seraient de nouveau heureux que lorsque la structure d'acier et de verre serait reconstruite, lorsqu'ils se retrouveraient de nouveau enfermés en son sein, comme dans le ventre de leur mère. Il connaissait toutefois une exception : Jake. Et bien malgré lui, Ben commençait à ressentir une certaine admiration pour la force de volonté que la décision de quitter le dôme avait dû exiger de lui.

Jennifer elle aussi pensait à Jake, et volait à ses côtés sur son aéromoto. Elle avait été surprise que Ben l'ait choisie pour venir en mission, mais contente aussi. Elle resterait ainsi avec Jake. Elle découvrait qu'elle avait de plus en plus envie d'être avec lui. Elle se rendit compte que s'il revenait un jour frapper à sa porte, elle le laisserait sans doute entrer. Mais elle ne comptait pas trop là-dessus. Dans l'immédiat, Jake avait des problèmes autrement plus pressants en tête.

C'était vraiment bizarre, pensait Jake. De rentrer au dôme, mais un dôme brisé, détruit, comme pour lui rappeler qu'il ne pourrait plus revenir en arrière, pas vraiment, même s'il le souhaitait. Et d'être accompagné par Jennifer, Cally et Ben, c'était encore plus irréel. Surtout Ben. Quelle serait la vie d'un Benjamin T. Stanton Jr sous un dôme ? Il devait probablement être content d'être sur une aéromoto et de ne pas avoir à salir ses jolies chaussures. Et il devait sans doute engranger des munitions qu'il ressortirait à Jake, une fois de retour à Spy High. Il devait regarder tout et tout le monde avec mépris ici. *Eh bien tant pis*, tenta de se convaincre Jake. Il n'avait pas à avoir honte du dôme, ni d'être un dômeur, se persuada-t-il.

– C'est ici ! cria-t-il aux autres. Voilà notre ferme.

Debout. Intacte. Les champs environnants avaient été ravagés par des débris d'acier et de verre, mais le corps de ferme semblait bien être passé au travers. Il surgit devant ses yeux comme une image du passé.

Jake accéléra vers sa maison.

Sa mère sortit de la ferme à ce moment-là. Elle le vit et cria quelque chose. Son père sortit précipitamment, ainsi que la petite Beth (qui semblait avoir bien grandi). Même dans les yeux de son père, il crut voir de la gratitude, il crut voir de l'amour.

À présent, Jake avait oublié Ben. Il ne se préoccupait plus de savoir ce qu'il penserait de lui.

Il descendit de son aéromoto et courut vers sa famille. Il vit qu'ils se portaient bien. On ne lui avait pas menti. Et tout le reste pouvait s'arranger. Rien d'autre n'était important. Seule comptait la vie.

– Maman ! cria Jake. Papa ! Vous allez bien ? Vous êtes indemnes. J'ai eu tellement...

Ils étaient bien là, solides entre ses bras. Ils étaient réels. Tout était réel, malgré cette atmosphère d'étrangeté. Jake était de retour à la maison.

Diplomates, Cally, Jennifer et Ben étaient restés un peu à l'écart de la famille. Ils sentaient que ce n'était pas le moment de s'immiscer.

– Maman, papa, finit par dire Jake, ce sont mes amis. De l'école. Voici Cally, Jennifer, et voici Ben.

– Nous sommes ravis de faire votre connaissance, dit Mme Daly. Tous les amis de Jake sont les bienvenus ici.

Ils se serrèrent tous la main.

Beth tira sur la manche de Jake. Il se baissa vers elle, l'embrassa sur la joue et sourit.

– Qu'est-ce que tu as grandi ! dit-il en riant. Tu n'es plus la petite Beth. Tu seras bientôt aussi grande que moi.

– Je savais que tu reviendrais, Jake, dit Beth. Tu es revenu pour nous sauver, hein ?

– Quoi ?

– Je l'ai vue, Jake. (Elle se serra contre lui en tremblant.) Je l'ai vue et elle m'a fait peur.

– Quoi ? dit Jake, d'un ton plus grave. Beth, de quoi parles-tu ? Qu'est-ce que tu as vu ?
– Je l'ai vue, dit la petite fille. L'araignée dans le ciel.

Lori prit mentalement note : *Ne t'assieds jamais seule dans le foyer car tu ne sais jamais qui va vouloir se joindre à toi.* La dernière fois, ç'avait été ce pauvre vieux Gadget – et elle se souvenait encore de la cascade d'ennuis que cette rencontre lui avait value. Cette fois, c'était Simon Macey, et « Ennui » était le petit nom du leader de l'équipe Solo.

– Lori..., l'aborda-t-il, l'air inhabituellement nerveux, ou plus exactement comme quelqu'un qui manigançait quelque chose.

– Est-ce que ça m'embête si tu te joins à moi ?

Il rit en se frottant les mains.

– Alors comme ça, en plus de tes autres talents, tu lis dans les pensées ? Euh, tu permets... ? ajouta-t-il en désignant une chaise indéniablement libre en face d'elle.

– Ça fait une différence si je te dis non ?

Simon Macey étendit ses jambes sous la table.

– Eh bien, tu peux toujours partir, dit-il, mais j'ai quelque chose à te dire et ce serait dommage.

– Tu ne vas pas essayer de me vendre une assurance, au moins ?

– Pas vraiment, dit Simon en souriant.

Lori n'était pas sûre de l'avoir déjà vu sourire auparavant, en tout cas pas de cette manière – un large et franc sourire. D'ordinaire, c'était plutôt une sorte de rictus froid et satisfait, lorsque l'équipe Solo semblait prendre l'avantage sur l'équipe Bond. Tant mieux après tout, pensa Lori. Quitte à « garder un œil » sur Simon, autant qu'il sourie ; elle allait peut-être changer d'opinion à son sujet. Elle finirait même peut-être par l'apprécier.

– Ce n'est pas une assurance, non, continua-t-il, mais c'est quelque chose qui peut t'intéresser.

– Tu as décidé de changer d'école ?

Simon Macey parut vexé.

– C'est du Ben tout craché, dit-il. Je ne m'attends pas à autre chose que des sarcasmes de la part de Stanton. Mais toi, Lori... Tu vaux mieux que ça.

Flatterie. Elle en prit note dans un coin de sa tête, ainsi que du regard plein d'expectative qu'il lui jeta. La flatterie était supposée servir à quelque chose.

– C'est pour ça que je m'adresse à toi, Lori, pendant que Ben n'est pas là, et que je te parle de préférence à tous les autres.

– Tu me parles, lui accorda Lori, mais tu ne m'as toujours pas dit grand-chose.

– Oui, tu as raison. C'est juste que..., bafouilla-t-il, toujours avec ce sourire charmeur, celui du cheval de Troie. C'est juste que je n'ai pas eu souvent l'occasion de me retrouver seul avec toi.

– À moins que tu commences à me dire quelque chose de vraiment intéressant, répliqua Lori, moins légèrement qu'elle l'aurait voulu, tu peux abandonner tout espoir d'en avoir une autre.

– Euh..., dit Simon en clignant des yeux. Non, d'accord. J'arrête de tourner autour du pot.

– C'est ça, arrête. Ben revient dans deux jours.

– OK. En fait, c'est très simple. Tu fais partie de l'équipe Bond. Je fais partie de l'équipe Solo. Nous sommes les deux meilleures équipes cette année, d'accord ? L'équipe Hannay et l'équipe Palmer sont loin derrière. Donc, le Bouclier de Sherlock se joue entre nous deux, tu me suis ? Et nous sommes forcément en rivalité. C'est compréhensible. Le système de compétition interéquipe est d'ailleurs fait pour susciter cette rivalité. Ce n'est pas en soi une mauvaise chose. Je suis le premier à le reconnaître, jusqu'à un certain point. Mais ne penses-tu pas que les choses ont été un peu trop loin ? Que le combat équipe Bond contre équipe Solo est un peu parti en vrille ?

– Tu dis ça seulement parce que nous allons vous battre, accusa Lori.

– Et toi tu dis ça seulement parce que c'est ce que ton petit ami Ben veut que tu dises, répliqua Simon Macey, et veut que tu penses.

– N'importe quoi ! rétorqua Lori. Je suis capable de penser par moi-même, merci bien. Ne te laisse pas abuser par les cheveux blonds et les yeux bleus, Simon. C'est un déguisement. Il y a une personne derrière.

– Heureux de l'entendre. Alors tu sais que j'ai raison. Une saine rivalité entre les équipes est bénéfique, mais Ben est en train de transformer ça en règlement de comptes personnel, n'est-ce pas ? Tu le sais très bien. Me bloquer le passage comme il l'a fait sur le Mur. Il riait quand je suis tombé, tu le savais ? Il m'a lancé quelque chose comme quoi il aurait souhaité qu'il n'y ait rien pour amortir ma chute. J'ai aussi entendu dire qu'il n'avait pas non plus digéré ta performance à l'épreuve de tir l'autre jour.

– Ce n'est pas vrai, réagit Lori – mais ça l'était. Qui t'a dit ça ?

– Peu importe. Écoute, ce que je veux dire, c'est que quelle que soit l'équipe qui gagne au cours de la formation, il faudra un jour qu'on travaille tous ensemble, non ? Et vu la tournure que ça prend actuellement, toute cette aigreur, cette rancœur, ces inimitiés personnelles, est-ce qu'on en sera capables ? Quand ce sera vraiment pour de bon, est-ce qu'on pourra même se battre dans le même camp ?

Lori acquiesça, l'air pensif. Simon Macey n'avait pas tort, il fallait le reconnaître.

– Alors ce que je suis venu te demander, c'est une trêve.

Il lui lança un regard plein de gravité auquel il était, comme son sourire, dur de résister. *Peut-être que Ben...* peut-être qu'il avait mal jugé Simon depuis le début.

– Je veux qu'on s'entende mieux, et même qu'on devienne amis. Tu ne crois pas qu'on peut devenir amis ? L'équipe Solo et l'équipe Bond. Moi... et toi ?

Il avança sa main sur la table, comme une offrande. Lori enleva les siennes et les posa sur ses genoux. Elle ne voulait pas lui envoyer les mauvais signes.

– Je n'en sais rien, Simon. Je ne suis pas sûre que je puisse aller jusqu'à...

– Me faire confiance ?

– Quelque chose comme ça, oui.

– Je sais que Ben n'a pas confiance en moi. Mais il se trompe. Ne te laisse pas influencer par lui.

– Ce n'est pas Ben. C'est juste que... tu changes soudain du tout au tout, tu proposes de faire la paix...

– Pourquoi pas ? De quoi as-tu peur ?

– Je n'ai peur de rien. J'ai juste besoin de temps...

– Jusqu'à ce que Ben revienne ? C'est ça ? Je croyais que ce n'était pas Ben ?

– Simon, je crois...

– Si j'étais Ben, pour commencer, je ne t'aurais pas laissée ici. C'est un imbécile. Si j'étais lui, je ne t'aurais pas laissée toute seule.

– Eh bien moi, je te laisse tout seul, dit Lori, troublée. Excuse...

– Non, ne te dérange pas.

Simon se leva. Il avait remporté une première victoire. Il posa sa main sur le bras de Lori, le pressa gentiment.

– Je vais y aller. J'ai dit ce que j'avais à dire. Pour le moment. Seulement penses-y, d'accord? D'accord Lori? Réfléchis un peu à tout ça. On se reverra.

Simon partit et Lori resta assise. «D'accord Lori?» Était-elle d'accord? Elle sentit le fantôme de sa main, revit son sourire. Simon Macey qui proposait de faire la paix. Comment c'était, déjà, ce vieux slogan du siècle dernier? Faites l'amour, pas la guerre.

Où était Ben quand elle avait besoin de lui?

La Zone frontière.

Jake avait voulu rester avec sa famille (ce qui était compréhensible) et Jennifer avait tenu à rester avec Jake (ce qui l'était moins), ce qui laissait seulement Ben et Cally pour mener quelques investigations du côté du Centre de contrôle du dôme. Le commandant du dôme 13 en personne leur faisait faire la visite, un homme nommé Larsky, qui ne cherchait même pas à masquer son irritation: il ne comprenait pas pourquoi ses supérieurs lui avaient donné l'ordre de se mettre à la disposition de dignitaires en visite aussi jeunes. Le garçon au moins avait quelque chose en lui, un air d'autorité, et vu sa coupe de cheveux, il était peut-être issu des rangs de l'armée. Mais la fille, alors là! Il n'avait rien de particulier contre les Afro-Américains, non, mais ses dreadlocks faisaient tache au Centre de contrôle. Et il n'appréciait pas non plus le regard entendu qu'elle posait sur leur technologie, comme si c'était un jouet qu'elle connaissait déjà par cœur. Non, décidément, le commandant Larsky n'était pas ravi.

De son côté, Ben ne s'était pas autant amusé depuis qu'ils étaient partis de Spy High.

– Donc, commandant Larsky, sonda-t-il, il n'y a eu absolument aucun indice, ou aucun signal qui aurait pu vous faire suspecter qu'une attaque se préparait, avant que le dôme lui-même ne commence à se briser ; rien que vous n'auriez pu faire pour l'empêcher.

Larsky rougit et se rengorgea, mal à l'aise.

– À la suite des premières atrocités commises par le CHAOS, dit-il, mon équipe et moi-même sommes passés en état d'alerte maximale. Le premier signal du danger que nous avons eu, c'est lorsque nos opérateurs ont perdu le contrôle des programmes de maîtrise environnementale. Ce sont eux qui régulent l'atmosphère à l'intérieur du dôme, vous comprenez ? ajouta-t-il en les prenant de haut.

– Je crois que j'avais compris, commandant, dit Ben. Les mots « programme », « maîtrise » et « environnementale » m'avaient mis sur la piste.

– Si c'est une espèce de bombe d'un genre nouveau qui nous a touchés, poursuivit Larsky sur un ton acide, ou un rayon de la mort venu de l'espace, nous ne l'avons pas détecté, je le crains. Mais peut-être que vous... jeunes gens, aurez plus de chance.

– Oh ! l'attaque n'est pas venue du dehors, dit Cally, l'air pensif. Elle est venue de l'intérieur.

– De l'intérieur ? s'étrangla Larsky. J'espère, jeune fille, que vous n'êtes pas en train d'accuser un membre de mon équipe...

– Mon nom n'est pas « jeune fille », releva Cally, et je n'accuse personne. Mais à présent j'aimerais examiner moi-même ces programmes de maîtrise environnementale.

– Ah ! mais il faut avoir un grade de sécurité n° 1 pour pouvoir accéder aux ordinateurs..., commença Larsky, qui accepta soudain sa défaite : Bon, je vais vous montrer où c'est.

La salle des ordinateurs était le cerveau du dôme. Non seulement il dictait la moindre variation atmosphérique à l'intérieur de la structure, mais il surveillait et entretenait chaque centimètre carré du revêtement de verre et d'acier qui composait le dôme lui-même, effectuant automatiquement les réparations quand cela se révélait nécessaire. C'étaient les ordinateurs qui maintenaient le dôme en vie. Sans eux... eh bien, les conséquences tragiques de ce « sans eux » n'apparaissaient à présent que trop clairement.

Cally s'assit devant une console. Larsky ravala une objection, mais la pilule avait décidément du mal à passer.

– Donc les opérateurs ont d'abord perdu le contrôle de leurs machines, récapitula Cally. Ensuite le dôme... puis la catastrophe s'est produite. Et le contrôle des ordinateurs est revenu à la normale, à un moment ou à un autre, c'est ça ?

Ses doigts se mirent à dessiner des figures complexes sur le clavier.

– Je crains que vous n'ayez besoin d'un mot de passe pour accéder à notre système, dit Larsky, réprimant difficilement son envie d'ajouter « jeune fille ».

Il avait bien fait de s'abstenir. Ses yeux s'écarquillèrent d'étonnement lorsque Cally se mit à farfouiller dans les codes secrets du dôme.

– Désolé, commandant, dit Cally avec un sourire malicieux. Je me suis débrouillée avec le mien.

– Vous... vous avez cassé notre code ?

Larsky semblait presque offensé.

– Elle est plutôt douée, vous savez, dit Ben.

Plusieurs opérateurs des ordinateurs du dôme ne purent s'empêcher de venir voir Cally à l'œuvre, lui jetant ainsi qu'à Ben des regards mêlés de curiosité et d'admiration. Oui, décidément, Ben passait un bon moment.

Cependant Cally affichait un air sombre.

– Je ne suis pas non plus la seule là-dedans. Il y a quelqu'un d'autre, ou quelque chose d'autre. Vous avez un virus dans votre système.

– Quoi ?

La réprobation était générale et Larsky en profita.

– C'est impossible. Nous sommes équipés du plus haut niveau de protection informatique.

– Mais ça n'a pas suffi à arrêter Cally, n'est-ce pas ? dit Ben.

– Attendez, j'essaie d'identifier le virus.

Une série de schémas apparurent sur l'écran de Cally.

– C'est quelque part par là. Qu'est-ce que c'est ? Des plans et des données du Centre de contrôle ?

– C'est exact, dit Larsky. Mais attendez !... Cliquez sur celui-là.

Un plan s'ouvrit sur l'écran, l'air tout à fait innocent. Ben pouvait presque l'entendre siffloter, les mains dans les poches.

– Sous-sol numéro 3.

– Où est le problème ? demanda Cally.

– Le Centre de contrôle n'a pas de troisième sous-sol.

Tout à coup, il n'y eut plus de plan du troisième sous-sol non plus. L'image sur l'écran se désintégra, puis se reconstitua en une forme avec laquelle Cally et Ben commençaient à être familiers.

L'image en négatif d'un visage humain.

– Le CHAOS, dit Ben dans un souffle.

L'image émit un rire discordant, caverneux. Il y eut comme le bruit d'une explosion et l'écran passa en un éclair du noir au rouge, et se mit à clignoter, du noir au rouge au noir à nouveau.

Derrière le visage, un compte à rebours s'inscrivit sur l'écran. *Cent. Quatre-vingt-dix-neuf...*

Cally eut un sursaut.

– Pardon, quelqu'un peut-il m'indiquer la sortie la plus proche ?...

Jake marchait dans ce qui restait de leurs champs et soupira. Il savait que ç'avait été trop beau pour durer. Bien sûr, au début, retrouver sa famille saine et sauve au milieu de toute cette dévastation lui avait suffi – la joie et le soulagement des retrouvailles avaient fait passer au second plan les problèmes qui persistaient entre eux. Mais cela ne les avait pas fait disparaître pour autant. La colère et l'amertume guettaient, comme des hôtes indésirables à une fête.

Le départ de Cally et de Ben pour la Zone frontière avait donné le signal.

– Tu sais que Frank Sanders est mort, avait dit son père, sur le ton de la conversation.

– Non, je l'ignorais, papa. Et Mary? Elle est...?

– Elle va devoir se battre. Leurs champs ont été salement abîmés. Elle aura besoin d'un sacré coup de main avant que les choses reviennent à la normale.

– Elle ne sera pas la seule, fit remarquer Jake d'une voix blanche.

– Enfin, ça sera plus facile pour elle maintenant, dit son père en hochant sa tête grisonnante. Nous pourrons l'aider.

Le signal d'alarme se déclencha dans l'esprit de Jake, si fort qu'il fut étonné que personne d'autre ne l'ait entendu. Enfin, presque personne: assise de l'autre côté de la table, sa mère lui lança un regard anxieux.

– Excuse-moi, papa. «Maintenant»? «Nous»?

– Nous, mon fils, dit-il comme si c'était une évidence. Toi et moi. Maintenant que tu es revenu. Nous serons capables de nous occuper de notre terre et d'aider en même temps cette pauvre Mary Sanders. Nous pouvons...

– Non, papa. Attends une minute.

Le cœur de Jake se serra lorsqu'il se rendit compte que son père l'avait piégé. Ç'avait été trop beau.

– Tu as mal compris. Je ne vais pas rester. Je ne suis pas revenu définitivement. C'est juste que... Je voulais vous voir un peu après ce qui s'est passé. Je reste trois jours, et après je retourne à Deveraux.

Son père le regarda comme s'il observait une sorte d'extraterrestre.

– Tu vas nous quitter, mon garçon, après ce qui est arrivé ? Tu vas abandonner ta famille encore une fois ? Ta mère ? Ta sœur ?

L'attention de Jake se relâcha. Il n'écouta même pas la suite de ce que son père lui dit. Ce n'était pas la peine. Il lui récitait des passages du Livre de la culpabilité qu'il connaissait par cœur. Il n'avait pas arrêté depuis son premier départ pour Spy High. Son père était enraciné au sol, la terre était son sang, et entre eux deux, sur ce point tout au moins, ils ne pourraient jamais s'entendre.

– Tu aurais sans doute préféré que le dôme nous tombe sur la tête, l'accusa son père, sur la mienne, celle de ta mère, celle de ta sœur – qu'il nous écrase tous. Comme ça, tu n'aurais même pas eu à te salir en revenant ici !

– George ! s'écria sa mère, choquée.

Jake était choqué lui aussi, mais pas vraiment surpris. Il avait eu besoin d'espace tout à coup. Il était sorti de la maison en laissant son père, mais son ressentiment ne le quittait pas.

Il savait que ç'avait été trop beau pour durer.

– Ce n'est pas une situation facile, n'est-ce pas ?

Jake se retourna. Jennifer l'avait rejoint au milieu des champs. Elle avait un sourire tranquille, réconfortant.

– Tu as entendu... ?

– Vous parliez fort. Et les murs sont minces. J'ai pensé que je devais venir voir comment tu allais.

– Comment je vais ? dit Jake en haussant les épaules. Je suis déçu, mais pas surpris. Ça devait revenir sur le tapis, tôt ou tard. Le problème n'a jamais été réglé. Papa n'a jamais souhaité que je quitte la ferme. Il a toujours voulu que je travaille ici, dans les champs, à planter et à moissonner notre terre jusqu'à la fin de mes jours. Mais moi, j'avais autre chose en tête. Nous n'avons jamais réussi à trouver un compromis. Je suis désolé que tu aies entendu toute cette scène. Enfin, au moins Ben n'était pas là...

– Tu n'as pas à être désolé.

Jennifer se tenait à côté de lui à présent, tout près de lui, et s'il levait simplement sa main il aurait pu caresser ses longs cheveux noirs, comme il en avait envie depuis si longtemps. S'il levait simplement sa main.

– Je suis venu te dire quelque chose, Jake. Ce n'est pas un conseil. Je ne pense pas être en position de donner des conseils à quiconque. Mais peut-être que ça pourra t'aider.

– Oui? dit-il pour l'encourager à parler.

– Tes parents. Ta famille. Tous ceux que tu aimes..., dit lentement Jennifer, comme si elle parlait dans une langue dans laquelle elle n'était pas encore à l'aise; elle détourna son regard de Jake et le fixa au loin, sur les champs dévastés, un regard vague, distant. Ne laisse pas l'aigreur s'installer entre vous, Jake. Ne pars pas sans faire la paix avec eux. Sinon, tu risques de le regretter. Tu pourrais le regretter toute ta vie, parce qu'on ne sait jamais ce qui peut se produire, qui peut être blessé, quand, ou même... Essaie de faire la paix avec ton père, Jake, pendant que vous êtes là tous les deux.

Jennifer se retourna vers Jake et il y eut un moment de silence; aucun ne trouva les mots pour le briser. Jake ne chercha d'ailleurs pas à le faire. Il était heureux comme ça, à marcher avec Jennifer dans les champs, tout près de ressentir quelque chose qu'il n'avait jamais ressenti avant.

C'était un moment qu'il chérirait longtemps, bien longtemps après qu'il se fut dissipé et qu'il eut disparu.

Mais Jennifer se mit soudain à rire :

– Regarde ! On n'était pas tout seuls en fait !

Elle s'immobilisa et ramassa sur le sol déchiqueté deux pitoyables poupées de chiffon, serrées l'une contre l'autre comme pour se réconforter mutuellement.

– Je les reconnais, dit Jake en riant à son tour. Elles appartiennent à ma sœur. Elles s'appellent Penny et Globb, ou quelque chose comme ça.

– Drôles de noms. Pas étonnant qu'elles essaient de s'enfuir.

– Je crois qu'on ferait mieux de les ramener à la maison, dit Jake, l'air hésitant.

– Tu es sûr que ça va aller ?

– Il faudra bien, dit-il, parce que tu as raison, Jen. Je dois parler avec papa.

Jennifer lui sourit.

– Tiens, prends Penny, ou Globb. Je pense que pour toi ce sera Globb.

– Tu sais, me trimballer avec des poupées n'est pas très bon pour mon image.

– Alors on va faire autrement...

Jennifer glissa sa main libre dans celle de Jake.

– En fait, je ne sais pas, se reprit Jake. Ce n'est pas si mal de se promener avec des poupées après tout.

Ils rentrèrent ensemble à la ferme. Sans se presser.

Vite, s'enjoignait Ben. *Plus vite que ça*. Il courait dans les couloirs, Cally à son côté, Larsky et son équipe juste derrière. On pouvait dire que la phase d'évacuation du Centre de contrôle du dôme atteignait son point crucial.

Le compte à rebours s'égrenait dans la tête de Ben. Cela faisait partie de son entraînement. Sous la pression d'un délai impératif, ne jamais paniquer, mais rester conscient de ses options et garder à l'esprit combien de temps on avait devant soi. Une bombe n'a besoin que d'une seconde pour exploser. C'était une des phrases favorites du caporal Keene. À cet instant précis, ça ne le rassurait pas tellement.

Ben et les autres disposaient à présent de moins de dix secondes.

Juste devant. À leur portée. Les portes coulissantes. La sortie principale. S'il avait disposé de plus de temps, Ben aurait embrassé les portes. Au lieu de cela, il fonça à travers, avec Cally et les autres, et déboucha dans les rues de la Zone frontière.

Deux secondes.

Personne ne se retourna. Personne n'en avait le temps.

L'explosion éventra le Centre de contrôle, vomissant du feu, du verre et des débris en tout genre. La force du souffle plaqua les fuyards à terre, mais des petites coupures et quelques bleus, ce n'était pas cher payé pour rester en un seul morceau et continuer à respirer.

Ben entendit Larsky grommeler en se retournant sur le dos :

– Une mutation... Je vais demander une mutation. On ne me paie pas assez pour subir ça.

– Cally, ça va ? demanda Ben en aidant sa coéquipière à se relever. Alors, tu ne regrettes pas d'être venue ? Je t'avais bien dit qu'on s'éclaterait.

– Vu le niveau de tes blagues, tu aurais mérité de rester à l'intérieur.

Ben tourna les yeux vers ce qui restait du Centre de contrôle du dôme : des ruines en proie aux flammes.

– Eh bien je crois que nous avons fini. Nous n'apprendrons rien de plus ici.

– On en a appris bien assez, dit Cally sur un ton lugubre. Bien plus que je ne l'aurais souhaité.

– Que veux-tu dire ?

– Je veux dire qu'on est dedans jusqu'au cou, et quand je dis « on », ce n'est pas juste toi et moi, Ben, c'est tout le monde.

Ben afficha un air sceptique.

– Écoute : le CHAOS se sert d'un virus pour infiltrer les systèmes informatiques de ses cibles, reprit Cally. C'est évident, non ? Or, de nos jours, tout est contrôlé par ordinateur, depuis les bâtiments du gouvernement jusqu'aux habitations privées, aux transports, aux dômes, tout. Alors s'ils prennent le contrôle des ordinateurs...

– Ils contrôlent tout, conclut Ben. Mais on dispose d'antivirus, non ? De programmes de sécurité ? De protections informatiques ? Je veux dire, on n'est pas totalement démunis, n'est-ce pas ?

– Dans la plupart des cas, pour qu'un virus se télécharge dans un système, il suffit d'ouvrir un simple e-mail corrompu, dit Cally, ou un fichier fantôme, comme le plan d'un étage du Centre de contrôle qui n'existe pas. Mais le pire, Ben, c'est que si tu ne te débrouilles pas pour éliminer le virus dès le début, d'ordinaire, il reste où il est pour infecter tout le système. Il ne s'en va pas tout seul et ne disparaît pas dans le cyberespace ou je ne sais où.

– Et ?

– Et c'est ce qu'a fait celui-ci. Le masque, la bombe, ce sont juste des attrape-nigauds, des pièges qu'il a laissés derrière lui, comme une tape sur la main pour qui s'approcherait de trop près. Le vrai virus, celui qui a infecté les sytèmes de contrôle du dôme et tout détruit, ce virus-là est parti depuis longtemps.

– Parti ? Je ne te suis pas, argua Ben. Parti où ?

– Quelque part ailleurs. N'importe où, répondit Cally. Le cyberespace est immense, et ce virus peut aller où il veut. Il peut attaquer partout où il veut. Comme je l'ai dit,

Ben, on est dans la panade. Le CHAOS a développé un supervirus, et si nous ne l'arrêtons pas, ajouta-t-elle avec un frisson, malgré la proximité de l'incendie, ce pourrait être la fin. Pour nous tous.

Il lui avait raccroché au nez (enfin presque). Il l'avait coupée au milieu d'une phrase (enfin plus ou moins). Elle en était restée éberluée, incrédule, dans sa chambre de Spy High.

Lori n'avait pas appelé Ben à l'autre bout du pays sur un coup de tête, juste pour lui susurrer des petits mots d'amour. Elle savait que les communicateurs de ceinture ne devaient être utilisés que pour des choses importantes ; mais elle avait estimé que ce que Simon Macey lui avait dit entrait dans cette catégorie, et elle était certaine que Ben voudrait en être informé le plus vite possible.

Elle n'avait même pas pu lui en parler.

– Lori, c'est toi ? Mais qu'est-ce qui te prend de me contacter comme ça ?... Oui ?... Eh bien à nous aussi il est arrivé quelque chose d'important, figure-toi. Dans le genre courez avant que tout explose, tu vois ?... Juste moi et Cally... Oui, et nous sommes sains et saufs, mais ce n'est pas vraiment le moment de nous importuner... Toi. Oui, c'est toi qui nous importunes... Mais rien, Lori, si tu es toujours vexée parce que... qu'est-ce qui se passe alors ? Est-ce que ça ne peut pas attendre un peu ?... Écoute, Cally et moi on a des choses urgentes à régler. On rentre dans deux jours. On parlera à ce moment-là... Non, Lori. Plus tard. Salut.

Ainsi, elle avait été reléguée sur l'échelle des priorités de Ben. Importune, c'est ça ? Voilà ce qu'elle était devenue pour lui : un poids, une plaie.

Eh bien si Ben n'avait plus besoin d'elle, ronchonna-t-elle en sortant dans les couloirs de Spy High, alors elle n'avait plus besoin de lui non plus. Elle pouvait se débrouiller toute seule, exister par elle-même. Elle allait lui montrer.

Lori entra dans le foyer. L'équipe Solo était là au grand complet, assise autour d'une table en train de rire à une bonne blague (était-ce aux dépends de Ben ? se demanda-t-elle – elle le souhaitait presque). Simon Macey l'aperçut. Elle lui lança un regard lourd de sens.

Ce sourire.

Il la rejoignit près de la machine à boissons.

– De nouveau toute seule, Lori ?

– Pas tout à fait, lui fit-elle remarquer. De quoi me parlais-tu déjà tout à l'heure, Simon ?

– La trêve ?

– C'est ça, la trêve.

Alors comme ça elle était importune ?

– Je suis prête à essayer.

6

– Papa ?

Jake se tenait à l'entrée de la grange.

– Tu es encore là, toi ?

Son père n'interrompit même pas le travail qu'il était en train de faire sur la vieille machine qu'il avait installée là. Il ne tourna même pas la tête vers son fils.

– J'ai entendu tes bons amis partir sur leurs drôles d'engins. J'ai pensé que tu serais le premier à t'en aller.

Une autre idée le frappa soudain. Il arrêta de travailler.

– À moins que tu aies changé d'avis. À moins que tu aies décidé de rester.

– Je m'en vais, papa, avoua Jake. Les autres sont juste partis devant pour me laisser le temps de te parler.

Son père se remit à la tâche, avec des gestes mécaniques, monotones.

– Alors rattrape-les. On n'a plus rien à se dire.

– Si, on a des choses à se dire. Il y a moi. Il y a toi et moi, papa.

Jake s'avança à l'intérieur de la grange. *Dis-lui*, pensa-t-il. *Parle-lui de Spy High, de ce pourquoi tu t'entraînes vraiment là-bas – pour avoir une chance de faire quelque chose contre le genre de cinglés qui ont détruit le dôme, en se moquant du nombre d'innocents qu'ils ont blessés, mutilés et tués pour accomplir leur plan délirant. Dis-lui tout cela et il sera fier de toi.* Mais bien sûr, Jake avait promis sur l'honneur de ne jamais dire un mot de la véritable nature de Spy High à qui que ce soit en dehors de l'école, pas même à ses parents.

– Je me rappelle que tu m'amenais souvent ici quand j'étais petit, dit-il à la place. Tu me faisais grimper sur tes épaules et tu me portais jusque-là pour me faire asseoir sur le vieux tracteur. Tu t'en souviens, papa?

– Le tracteur est toujours là.

Ce que Jake interpréta comme un oui.

– Et tu me parlais du jour où ce serait mon tour de conduire le tracteur et de cultiver la terre, quand nous travaillerions ensemble dans les champs, père et fils... Je sais que tu attendais ça avec fierté.

– Je me demande bien pourquoi. Ça n'arrivera jamais.

– Non, ça n'arrivera pas, papa, et crois-moi, j'en suis désolé. Vraiment.

Son père haussa les épaules, plus voûtées à présent qu'elles l'étaient d'ordinaire.

– Mais quand j'étais petit, tu m'as appris plus que d'être fermier. Tu m'as appris à penser par moi-même. Tu m'as donné la confiance et la force de faire mes propres choix. Je les ai faits, et ils m'ont mené loin d'ici, mais tu peux en être fier, papa, et je voudrais que tu sois content pour moi. Et quand vous aurez vraiment besoin de moi, comme maintenant, je serai toujours là. Tu ne te débarrasseras jamais de moi complètement.

– Ah oui, vraiment?

Y avait-il une pointe d'ironie dans la voix de son père?

– Papa, je ne suis pas toi. Je suis moi. Jake Daly. Et je fais en sorte que ce nom compte pour quelque chose. Je ne suis peut-être pas le fils de fermier que tu voulais, mais je fais quelque chose de bien de ma vie, je travaille pour quelque chose d'honorable. Avant de partir, j'aimerais vraiment que tu me souhaites de réussir.

Son père continuait de travailler.

– Papa ?

Pas de réaction. Pas de compromis.

– Au revoir, papa.

Au moins, il avait essayé.

Il marcha tristement vers la porte de la grange. Il avait l'impression de revivre une scène qu'il ne connaissait que trop bien. Lui qui partait sans que son père interrompe son travail.

Seulement, cette fois, le bruit des outils avait cessé.

– Jake, attends.

La voix était plus vieille à présent, mais c'était toujours la voix de son père, et c'était tout ce qui comptait.

Ils se firent face dans la pénombre brûlante de la grange.

– Je vais faire un bout de chemin avec toi.

Ben observait ses coéquipiers. Pas très enthousiasmant. Jake : tellement perdu dans ses pensées qu'il aurait fallu le secouer comme un prunier pour obtenir quelque chose qui ressemble vaguement à une conversation pendant le voyage de retour à Spy High (et Ben se rendait compte à quel point il devait être désespéré pour en venir à vouloir sympathiser avec Jake). Jennifer : les yeux humides et les lèvres tremblantes pour une raison inexplicable, elle se débrouillait pour modifier sa trajectoire, pensant que personne ne la remarquait, afin de se retrouver dans le champ de vision de Jake ; elle attendait patiemment, en silence, que quelque chose se passe et semblait avoir oublié jusqu'à la présence de Ben (peut-être que Jake allait arriver à ses fins après tout). Cally : elle restait quand même son meilleur atout parmi les trois, malgré leurs dissensions au dernier trimestre ; mais même Cally était distraite, nerveuse, surveillant les alentours comme si elle s'attendait à chaque instant à voir s'approcher un agent du CHAOS avec son masque en négatif. Personne n'avait dit un mot de tout le trajet entre la Zone frontière et Oklahoma Central. Sur une échelle d'ennui de un à dix, Ben craignait que les prochaines heures n'atteignent douze.

Au moins allait-il peut-être trouver quelque intérêt à leur mode de locomotion pour rejoindre Boston. Le train-lumière. Il attendait ses passagers, brillant de mille feux d'argent et d'or, telle une actrice à une cérémonie de remise de prix. Le train-lumière était la dernière et la plus moderne création en matière de transport public à énergie solaire à avoir été développée ce dernier demi-siècle. Il était économe, écologique et extrêmement rapide : il traversait les États-Unis d'une côte à l'autre en quelques heures. Ben se remémora le slogan publicitaire : « Voyagez à la vitesse de la lumière. » C'était un peu exagéré, mais ça en donnait une assez bonne idée.

Les quatre membres de l'équipe Bond se massèrent sur la plate-forme avec les autres voyageurs pour admirer les voiles solaires installées sur le toit de chaque wagon : une fois que le train serait sorti de la ville, elles se déploieraient comme la queue d'un paon afin de capter et de stocker l'énergie du soleil grâce à leurs myriades de minuscules cellules solaires...

– C'est toujours mieux que de marcher, hein, Jake ? tenta Ben.

Jake lui renvoya un regard impassible.

– C'est toujours mieux que de marcher, hein, Jennifer ?

Jennifer n'eut pas l'air de comprendre la question.

– C'est toujours mieux que de marcher, hein, Cally ?

Gagné. Il allait enfin avoir droit à une réponse.

– Qu'est-ce que tu racontes, Ben ? Si on marchait, on serait sans doute plus en sécurité. Tu sais ce que c'est, ce train ? Un piège mortel, voilà ce que c'est. Et on est tous là à bavasser et à plaisanter comme des imbéciles. Alors qu'on pourrait aussi bien être dans le couloir de la mort.

Gagné ? Peut-être que les silences de Jake et de Jennifer étaient préférables après tout.

– C'est un train, Cally. Pas la peine de t'exciter comme ça.

– Tu n'as pas écouté ce que je t'ai dit l'autre jour, Ben ? Le train-lumière est contrôlé par ordinateur. Et le virus du CHAOS attaque les ordinateurs. S'il attaque le système qui contrôle le train-lumière et que nous sommes à bord à ce moment-là, alors tu peux faire une croix sur le Bouclier de Sherlock. Tu ne seras plus là demain pour voir le jour se lever.

Les portes du train-lumière s'ouvrirent en coulissant. Les gens applaudirent et se pressèrent à l'intérieur.

– D'accord, Cally Cassandre, mais avant que tu te mettes à déchirer tes vêtements comme une folle en hurlant « le malheur est sur moi », n'oublie pas ce qu'a dit le CHAOS. Une semaine. Les gouvernements ont une semaine pour démissionner, et on n'en est pas à la moitié.

Cally posa les mains sur son cœur.

– Oh ! je me sens tellement rassurée, Ben, dit-elle sur un ton ironique. J'ai comme toi une confiance totale et inébranlable dans la parole d'un fou masqué qui est déjà responsable de la mort de centaines de gens.

– Bon, ça va, dit Ben. La confiance est une belle chose, non ?

– Je n'en sais rien, dit Cally. Je ne fais confiance à personne.

Comme pour souligner ses paroles, Cally observa la plate-forme d'un œil critique. Les autres passagers s'entassaient à l'intérieur à présent, l'air ravi, fiévreux, ne prêtant attention à rien d'autre qu'à leur anticipation du voyage à venir. Un brouillard de gens, un brouillard de vies, dont aucune n'était familière à Cally.

Un homme la regardait. À quelques mètres, entraperçu entre deux visages, l'homme avait semblé la reconnaître.

Cally eut seulement le temps d'enregistrer ces détails – et aussi que c'était un type pâle, d'apparence banale, qui avait l'air effrayé, qui portait un attaché-case, et qu'à sa connaissance elle n'avait jamais vu de sa vie – avant qu'il ne disparaisse de sa vue.

Cally se rembrunit. Ce n'était peut-être rien. Mais peut-être pas. Gravé dans le grand livre des règles de Spy High : rien n'est trop insignifiant. Un indice minuscule peut sauver des vies.

– Tout va bien, Cally ? l'interrogea Ben. On dirait que tu as vu un fantôme.

– Pas encore, répondit-elle. (Le grand livre des règles de Spy High : ne jamais minimiser ses impressions. Les impressions sont la manière dont notre inconscient envoie des signaux à notre conscience.) Mais j'ai un mauvais pressentiment.

– Eh bien, Cally, emporte-le avec toi à bord, dit Ben en la poussant gentiment vers les portes du wagon, ou on va devoir rejoindre la côte à pied. Et arrête de te prendre la tête, c'est sans doute juste un de ces trucs de fille.

– Quoi ? Stanton, espèce de sexiste...

Les portes du train-lumière se fermèrent derrière eux dans un sifflement.

Ils s'assirent à leurs places réservées, dans le wagon le plus proche de la cabine de contrôle. L'hôtesse les informa des services qui leur étaient proposés, des rafraîchissements et des distractions dont ils pouvaient profiter. Cally ne l'entendit pas. Elle écoutait le bruit du train tandis qu'il se libérait de la plate-forme, sortait de la gare et s'aventurait en terrain découvert. Elle guettait le son étouffé des voiles solaires qui se déployaient, étincelantes comme des diamants au soleil, comme des couronnes de lumière.

– Alors, rassurée maintenant ? demanda Ben.

Cally ne répondit pas. C'était inutile. Quoi qu'il se passe à présent, il n'y aurait aucune issue. Ils étaient prisonniers de ce train. Quant aux wagons... Les wagons seraient peut-être leurs tombeaux.

Eddie n'était pas content, et il l'avait bien fait comprendre à Lori tout au long de la matinée.

– Tu sais, Lori, lui faisait-il remarquer maintenant (et ce n'était pas la première fois), en la bloquant presque devant la machine à boissons, si par exemple ces dernières semaines étaient les premiers chapitres d'un livre, eh bien je n'ai quasiment rien eu à faire dedans, tu comprends ?

– Je comprends ce que tu veux dire, Eddie, reconnut Lori – comment ne le comprendrait-elle pas ?

– Tu vois, je serais seulement apparu dans quelques pages, une dizaine tout au plus, et encore ce serait juste pour lancer quelques blagues, histoire d'apporter une touche d'humour.

– Et encore..., commença Lori, avant de se reprendre : Tu as raison, Eddie.

Elle guettait l'entrée du foyer. Elle attendait quelqu'un.

– Je veux dire, imagine seulement... Si l'auteur de ce livre pense qu'il a besoin de tuer un de ses personnages, je ne sais pas, histoire de booster les ventes ; à ton avis, qui va-t-il choisir ? « Ah, te voilà, Nelligan, toujours coincé en marge de l'histoire. » C'est ce qu'il se dira. « Tu n'apportes vraiment pas grand-chose. Les lecteurs ne risquent pas de s'attacher à toi. Alors il est temps de tirer ta révérence. » Tu vois, Lori, si on était des personnages de roman, mon cas serait réglé bien avant les examens.

– Tu as raison, Eddie. Un vrai fiasco.

Elle ne put s'empêcher de sourire. Elle dut même se retenir de rire. Mais pas à cause d'Eddie. Simon Macey venait d'apparaître à l'entrée.

– C'est tellement injuste, se plaignit Eddie. Parce que je pourrais apporter quelque chose. Je ferais mes preuves si on m'en laissait l'occasion. J'ai une profondeur cachée, moi. Et ne me dis pas: « Bien cachée alors. » Ne le dis pas... Tu ne l'as pas dit. C'est ce que j'aime chez toi, Lori, tu ne m'ignores pas comme les autres, tu es très compréhensive... tu sais écouter.

– Pardon, Eddie, tu disais?

Sur le seuil, Simon lui fit un signe avant de disparaître dans le couloir.

– Je dois y aller. À plus tard.

– Lori?...

Eddie regarda Lori s'éloigner, puis se retourna vers la machine à boissons en prenant un air désespéré.

– Toi au moins tu ne vas pas me quitter n'est-ce pas? Tu veux qu'on aille faire un tour ou autre chose? On me surnomme « l'espion qui souriait », tu es au courant?

Simon attendait Lori dans le couloir.

– J'ai pensé que tu préférerais que Nelligan ne nous voie pas parler ensemble.

– Oh! Eddie traîne toujours dans le coin, dit Lori en souriant. Et pourquoi pas après tout? Cette trêve qu'on essaie de favoriser, ce n'est pas seulement entre toi et moi, non? C'est entre nos deux équipes, et Eddie représente un sixième de la mienne.

– C'est juste, dit Simon avec un sourire rusé, mais je crois que pour l'instant je préfère me concentrer sur nous deux. Pour voir jusqu'où ça peut aller.

– Et jusqu'où espères-tu que ça puisse aller? s'entendit demander Lori.

– Si on essayait le parc pour commencer?

Ils se promenèrent donc dans le parc de l'école et ils discutèrent, quoiqu'il apparut soudain à Lori que c'était elle qui monopolisait la conversation, comme Eddie l'avait fait avec elle. Elle racontait des choses à Simon, des choses vraiment intimes, et il l'écoutait attentivement, l'encourageait même à se livrer encore plus, sans se soucier apparemment que leur conversation tournât au monologue.

– Non, il faut que j'arrête, vraiment, en rit-elle, embarrassée. Tu ne veux pas entendre ça. Même mon psychanalyste ne voudrait pas en entendre parler. Je n'en ai pas, Simon, rassure-toi! Mais je t'ai suffisamment saoulé avec mes histoires. Tu as dû t'ennuyer à mourir. Je suis très ennuyeuse en fait.

– Ah bon? Eh bien si c'est le cas je suis prêt à m'ennuyer toute ma vie.

Lori rougit.

– Oh, Simon...

– Oh, Lori..., se moqua gentiment Simon. N'y avait-il pas une chanson qui s'appelait comme ça, il y a une centaine d'années?

– Ne dis pas de bêtises, dit-elle d'une voix timide.

– Si, je t'assure. Ils la passent encore de temps en temps sur le Canal du XXe siècle. Et si elle n'existait pas, il aurait fallu l'inventer. Mais elle a vraiment été écrite, et elle a attendu tout ce temps que tu viennes.

– Là, tu dis des idioties, dit Lori en riant, puis elle soupira. Tu sais...

– Pas encore.

– C'est vraiment dommage que je... que nous ne t'ayons pas mieux connu avant, Simon, enfin, sous ton vrai jour. On aurait pu éviter tellement de malentendus. Les choses auraient pu être différentes.

– Je sais, dit Simon dont les yeux brillaient d'un éclat un peu froid, comme de la glace. Et pense à quel point les choses auraient pu être différentes si tu avais fait partie de l'équipe Solo au lieu de l'équipe Bond.

– Oui.

– Si tu m'avais rencontré avant de rencontrer Ben.

Lori dut baisser les yeux. Elle avait compris ce que Simon voulait dire. Elle était surprise et choquée de constater qu'une partie d'elle-même regrettait que ce n'ait pas été le cas.

– Mais ça ne s'est pas passé comme ça, Simon, dit-elle doucement. Je suis avec l'équipe Bond. Je suis avec Ben. Et Ben revient demain.

– Demain ? dit Simon qui semblait ravi. Alors ça me laisse assez de temps pour faire ça.

Elle savait ce qu'était « ça » et elle le regarda en l'implorant des yeux. Pour demander ou empêcher le baiser ? De toute façon, ça n'avait plus d'importance. Simon l'embrassa. Ses bras se refermèrent sur elle.

Et elle ne put se résoudre à le repousser.

Le train-lumière accéléra. Il s'était défait de la ville comme si ce n'était que de la poussière et glissait onctueusement à travers les plaines, ses voiles solaires laissant une traînée de feu pâle dans l'atmosphère. Les passagers, en particulier les plus jeunes, ne détachaient pas les yeux des vitres, excités par la grande vitesse.

Cally ne partageait pas leur enthousiasme.

– Quelque chose ne va pas, insista-t-elle. Il y a un truc qui cloche.

– Tu as beau dire deux fois la même chose, dit Ben, la seule chose qui « cloche » c'est dans ta tête. Arrête ta parano. Détends-toi. Prends un verre.

Il leva son propre verre à la santé de sa coéquipière. Qui le saisit promptement et le vida d'un trait.

– Hé ! fit Ben, qui ne savait pas s'il devait s'offenser ou en rire. Je ne voulais pas dire le mien. Qu'est-ce qui te... ?

– Tais-toi et regarde, coupa Cally. Je vais te prouver que j'ai raison. Regarde.

Déconcerté, Ben regarda. Jake et Jennifer, qui commençaient à se rendre compte que Cally parlait sérieusement, firent de même. Elle posa le verre à présent vide sur la tablette qui les séparait.

– Et alors ?

Ben commençait à être agacé maintenant. Si vraiment quelque chose n'allait pas, en tant que leader, il devrait être le premier à le remarquer.

– Quoi ? Est-ce qu'on doit tous mettre nos mains à plat et chanter : « Esprit, es-tu là ? »

– Sers-toi de tes yeux, Ben, dit Cally qui n'était pas d'humeur à plaisanter. Regarde le verre.

– Il tremble, fit remarquer Jennifer.

En effet. Petit à petit, le verre bougeait.

Ben mit les mains sur son cœur dans un geste théâtral.

– Je suis outré ! Imagine le journal de demain : « Tragédie ferroviaire : Un verre bouge à cause des vibrations. Du soda a été renversé. »

– Sers-toi de ta cervelle aussi, insista Cally tandis que le verre trembla un peu plus, glissa un peu plus loin sur la tablette. Il ne devrait y avoir *aucune* vibration à bord de ce train. Il est censé être totalement stable, comme une surface d'eau plane. Sauf, ajouta-t-elle en jetant un regard sévère à ses coéquipiers, si sa vitesse n'est plus correctement maîtrisée.

Le train-lumière accéléra encore.

Le wagon trembla. Cette fois, de façon sensible. Comme s'il avait tout à coup changé de rails. Surpris, les gens poussèrent des cris, se précipitèrent aux fenêtres, puis se mirent à rire de leur frayeur. Le verre tomba sur les genoux de Cally.

– Vous comprenez maintenant ? reprit Cally sur un ton de défiance et de consternation. Il y a quelque chose qui cloche. Nous allons trop vite. Ils ont perdu le contrôle.

Le train-lumière accéléra de nouveau. Et cette fois il se mit à se balancer vraiment, comme s'il voulait se libérer de ses rails.

À présent, des murmures d'inquiétude s'élevaient dans les wagons : ce n'était pas encore la panique, mais l'angoisse née de l'incertitude. Les mains s'agrippèrent plus fermement aux bras des sièges. Un enfant se mit à pleurer.

– Il faut que nous stoppions ce train, dit Cally en se levant maladroitement.

Ben se leva également.

– Attends ! Tu ne peux pas... Est-ce qu'on ne ferait pas mieux... ?

Mais Cally abordait déjà l'hôtesse du wagon.

– Excusez-moi, mais vous devez arrêter ce train. Parlez au conducteur et dites-lui de stopper la machine. C'est une urgence.

L'hôtesse était aussitôt passée sur le mode « Calmer le passager déraisonnable sans paraître trop condescendante », grand sourire vide et dents blanches.

– Retournez vous asseoir s'il vous plaît mademoiselle, récita-t-elle. Je vous assure que tout va bien. Vous n'avez pas à vous inquiéter.

Ses joues avaient rosi : elle n'y croyait pas elle-même.

– C'est ça. Alors je répète encore une fois : *Stoppez. Ce. Train.*

– Maintenant, mademoiselle, retournez...

– *Arrêtez ce putain de train, vous êtes sourde ?*

– Je vous assure, made...

– Tant pis, si vous ne voulez pas...

– Cally, non !

L'hôtesse tenta de l'en empêcher. Ben essaya de s'interposer. Le train fit une nouvelle embardée et leurs efforts échouèrent. Cally enfonça le bouton d'arrêt d'urgence le plus proche. Un message généré par ordinateur se fit entendre : « Arrêt d'urgence activé. » Mais il n'y eut aucune baisse de vitesse. Tous les passagers du wagon semblaient retenir leur souffle. Et soudain...

« Arrêt d'urgence désactivé. Faites un bon voyage. »

Cette fois, ce fut la panique. Il y eut des cris, des larmes et les gémissements des enfants qui avaient cru jusqu'alors que leur monde était sûr.

Cette fois, il était temps d'agir pour l'équipe Bond.

Jake et Jennifer étaient déjà debout derrière Ben et Cally, tandis que le wagon se déportait de gauche à droite, s'agitant comme un malade en proie à la fièvre.

– Vous me croyez maintenant ? ne put s'empêcher de dire Cally.

L'hôtesse l'avait oubliée ; elle essayait de faire face à un barrage de voyageurs effrayés avec un sourire professionnel, mais n'y arrivait pas. Ce n'est pas sa main qui agrippa l'épaule de Cally comme un étau.

Elle se retourna. Quelque part, elle savait déjà que ce serait l'homme qu'elle avait aperçu sur la plate-forme.

– Je vais mourir ! lança-t-il, le visage déformé par la terreur. Si vous ne faites pas quelque chose pour me sauver, nous allons tous mourir. Vous devez faire quelque chose !

– Hé ! une minute, intervint Ben. Qui êtes-vous ?

– C'est après moi qu'il en a ! gémit l'homme, comme si cela répondait à tout. Il sait que je suis là. Il ne s'arrêtera pas avant de me tuer comme les autres. Aidez-moi ! Sauvez-moi !

– On ne...

Les événements s'enchaînaient trop vite, même pour Ben.

– Vous êtes les seuls qui puissiez me sauver. Je vous connais. Je vous ai déjà vus, dit l'homme en ouvrant son attaché-case, dont le contenu se répandit sur la tablette. Dans le laboratoire de Frankenstein.

Posé au fond de l'attaché-case se trouvait un masque. Un masque à la texture brillante, mouvante. Un masque comme une photographie en négatif.

– Le CHAOS ! s'exclama Cally.

– Némésis ! geignit l'homme. Elle va tous nous tuer !

Le train-lumière se mit à accélérer de nouveau.

7

– Mesdames et messieurs, s'il vous plaît, retournez à vos sièges ! lança l'hôtesse d'une voix forte mais trop aiguë. Je vous assure qu'il n'y a pas à s'inquiéter, cria-t-elle face à une tempête de protestations.

Elle aurait eu plus de chances si elle avait essayé de convaincre les passagers du *Titanic* que c'était une belle nuit pour piquer une tête.

Ben et Jake saisirent simultanément le col de l'homme terrorisé.

– Que dites-vous ? demanda Jake d'une voix menaçante. C'est vous ? Vous êtes l'agent du CHAOS qu'on a vu chez Frankenstein ? Le type qui se réjouissait de nous voir tués ?

– Oui, oui, oui, bredouilla l'homme, pitoyable.

– Alors, on fait moins le malin, hein ? lança Jennifer avec mépris, en se remémorant la chambre mutagène.

– Je comprends maintenant pourquoi vous portiez un masque, railla Ben.

Cally observait l'hôtesse. Elle utilisait un communicateur, apparemment pour tenter de joindre le conducteur qui se trouvait dans la cabine de contrôle. En fait, les machinistes ne conduisaient plus vraiment les trains : ils se contentaient de surveiller les ordinateurs qui les dirigeaient. Quoi qu'il en soit, celui-ci ne semblait pas très bavard.

– Je n'arrive pas à... (L'hôtesse secoua son communicateur, comme si cela pouvait aider.) Il ne répond pas. (Son sourire non plus ne fonctionnait plus.) Je vais devoir... Je n'ai pas le droit normalement, mais c'est une urgence...

Elle progressa le long du wagon comme une funambule ivre, pour atteindre la porte qui les séparait de la cabine de contrôle.

– Que faites-vous là ? demanda Ben à l'agent du CHAOS qui geignait toujours. Comment saviez-vous que nous étions dans ce train ?

– Je l'ignorais. C'est une coïncidence. On m'a envoyé là-bas pour constater les résultats, mesurer l'ampleur du chaos que nous avons provoqué, mais ça n'a plus d'importance à présent. Nous sommes tous des victimes !

L'hôtesse trébucha, ou fit un faux pas, et perdit l'équilibre. Elle tomba contre la porte de la salle de contrôle. Il y eut un éclair brillant d'électricité, le grésillement soudain de la chair qui brûlait. L'hôtesse poussa un cri. Tout le monde cria. Mais l'hôtesse ne le fit qu'une fois.

– Elle est morte ! Elle est morte !

C'était dans la nature d'une foule, en particulier une foule paniquée, d'être redondante.

Les parois métalliques du wagon se mirent à trembler et à vibrer sous la pression d'une énergie mortelle.

– Il est temps de s'y mettre, dit Ben. Des idées ?

– Ouais : et si on obligeait ce rigolo à ouvrir la porte de la cabine de contrôle ? suggéra Jennifer d'un air sombre.

– Non ! Vous avez besoin de moi ! protesta l'agent du CHAOS. Vous avez besoin de moi, je peux vous révéler des choses sur Némésis. C'est Némésis votre ennemi à présent, pas moi.

Le wagon cogna à nouveau contre les rails. Il trembla comme s'il était sur le point d'exploser.

– Alors dites-nous, lui ordonna Cally. Et faites vite.

L'agent du CHAOS acquiesça et humecta ses lèvres sèches.

– Némésis est un virus informatique. Un supervirus. Nous l'avons créé, nous, les scientifiques du CHAOS. Nous lui avons donné l'intelligence. Nous l'avons aussi doté d'une certaine marge d'indépendance.

– Un virus qui peut penser par lui-même? s'enquérit Cally, presque admirative.

– Et nous lui avons programmé une priorité absolue: la destruction!

– Sympa, fit remarquer Jake.

– Mais nous avons trop bien réussi. Nous avons donné à Némésis une trop grande liberté, et en fin de compte elle en a voulu encore plus. Elle a commencé à croître et à se développer de son propre chef. À présent, Némésis est totalement consciente. Elle n'a plus besoin de nous. Elle veut vivre, et pour cela elle est prête à tuer tous ceux qui pourraient représenter une menace. Moi y compris. Elle sait que je suis ici. Je vais mourir!

– Oui, et vous allez mourir sur-le-champ si vous ne retirez pas tout de suite vos sales pattes, l'avertit Jake.

Cally empoigna son sac et se mit à farfouiller à l'intérieur.

– Hé, Cally! lui lança Ben. Ce n'est pas le moment de vérifier si tu n'as rien oublié.

Cally en sortit un disque informatique avec une exclamation triomphale.

– J'ai bien fait, au contraire.

– Que veux-tu dire?

– C'est un petit truc sur lequel je travaille depuis les premières attaques du CHAOS. Un programme antiviral. Je doute qu'il soit assez bon pour venir à bout de Némésis, mais il devrait l'occuper suffisamment de temps pour que nous puissions reprendre le contrôle du train en manuel.

– Ça a l'air bien, dit Ben. Allons-y.

– Aller où ? demanda l'agent du CHAOS, qui éclata d'un rire proche de l'hystérie. Vous ne pouvez même pas atteindre la cabine de contrôle. Les portes sont électrifiées.

– Qui a parlé des portes ? dit Ben avec un sourire, en pointant le pouce vers le toit. On va prendre le circuit panoramique.

– Alors mettons les choses au point, dit Lori tandis que Simon Macey et elle se promenaient dans le parc de Spy High. Toute cette histoire de trêve n'était qu'un prétexte pour te rapprocher de moi, c'est ça ?

– Pas tout à fait. Tu connais ce vieux dicton : s'aimer, c'est regarder dans la même direction ?

– Décidément, tu as toujours une formule toute prête.

– Non, dit Simon en riant. Je pense vraiment qu'une trêve est nécessaire. Ce n'est pas une bonne chose pour Spy High que ses deux meilleures équipes soient à couteaux tirés. Les deux équipes ont besoin de faire la paix. Mais pour être franc, j'ai surtout besoin de toi.

Lori secoua la tête.

– Tu ne devrais pas parler comme ça, Simon (*ni sourire comme ça, ni me toucher comme ça*, pensa-t-elle). Je ne sais plus. Ben...

– ... n'est pas là, finit Simon. Il y a juste toi et moi. Pour l'instant. Et peut-être pour longtemps. Ça dépend de toi, Lori.

Elle secoua de nouveau la tête.

– J'ai besoin de temps pour y voir clair, pour réfléchir. Ben et moi avons eu des prises de bec récemment, mais je crois que je suis toujours... Je veux dire...

– Pas de problème. Prends tout ton temps.

Simon ne lui mettait pas la pression (à part avec son sourire ravageur).

– Alors plus de baisers, négocia Lori. Et pas d'autre chose non plus. Au moins jusqu'à ce que...

– Vos désirs sont des ordres, ô belle dame, dit Simon en faisant une parodie de révérence. Mais je peux encore profiter de ta compagnie aujourd'hui ?

– Si tu veux, accorda Lori en soupirant, même si cela lui faisait plaisir, mais je ne vais rien faire de très excitant aujourd'hui. Je dois travailler sur ordinateur.

Le sourire de Simon avait cette fois une nuance différente, que Lori aurait pu remarquer si elle avait été plus attentive : une nuance maligne.

– L'ordinateur, ça me va, dit-il simplement.

Il respecta sa parole. Il n'essaya pas d'embrasser ni même de toucher Lori pendant qu'ils se dirigeaient vers la salle des ordinateurs des étudiants, ni quand ils choisirent leurs postes et que Lori ouvrit une session. Simon Macey, lui, ne se connecta pas. Ses doigts semblaient taper des données sur le clavier, mais ses yeux étaient fixés sur ses doigts à elle, sur son clavier à elle. Comme un élève qui prend exemple sur son professeur. Ou un tricheur qui copie le devoir d'un autre.

Lori ne remarqua son attention que graduellement. Elle se retourna vers lui et lui sourit sans méfiance.

– Je peux t'aider ?

– Tu parles seulement de l'ordinateur ou... ? Non, ça va. Promis. C'est juste que... Je viens juste de me rappeler que j'avais quelque chose à faire. Bon, on se verra plus tard alors.

– La vie peut être cruelle, dit Lori avec une tristesse moqueuse.

– N'est-ce pas ?

Simon sourit. Quant à savoir si c'était parce que Lori lui souriait aussi ou parce qu'il connaissait désormais son mot de passe personnel, c'était impossible à dire.

Ils répandirent copieusement la collapeau, jusqu'à ce qu'elle forme une couche épaisse. Le Mur était une chose. Les parois extérieures du train-lumière fonçant à plusieurs centaines de kilomètres à l'heure sous le contrôle d'un virus informatique psychotique, c'était une autre paire de manches.

– Tombez les vestes, ordonna Ben. Nous devons offrir le moins de prise possible au vent.

– Dommage qu'on n'ait pas emporté nos combichocs, dit Cally.

– Un bon agent secret se débrouille avec ce qu'il trouve sur le terrain, récita Ben.

– Revoilà notre manuel ambulant, grommela Jake. Le tout, c'est de savoir sur quelle leçon on va tomber, Ben.

– Nitro-ongles, dit Jennifer. On en porte tous. Deux pour la fenêtre ici, deux pour la cabine de contrôle ?

Tous acquiescèrent. Jennifer et Jake enlevèrent chacun la fine membrane explosive qui était collée discrètement sur l'un de leurs ongles et les fixèrent aux deux extrémités de la vitre. Les autres passagers, qui avaient remarqué l'activité de l'équipe Bond, avaient commencé à se rapprocher d'eux en rampant, prêts à se raccrocher à n'importe quelle lueur d'espoir. Mais à présent, ces étranges jeunes gens à l'air déterminé leur criaient : « Reculez ! Reculez, s'il vous plaît ! » De quel droit ces adolescents parlaient-ils sur ce ton à leurs aînés ? Et pourquoi diable devraient-ils reculer ? Et puis qu'est-ce que faisaient ces espèces de chewing-gums collés sur la vitre ?

L'explosion répondit aux trois questions.

Désormais, une brèche était ouverte dans le wagon jusque-là bien isolé. Le vent s'engouffra de l'extérieur, prêt à cingler à mort quiconque serait assez fou pour s'aventurer à proximité de la fenêtre cassée. Instinctivement, les passagers se réfugièrent au fond du wagon.

L'équipe Bond rassembla ses forces.

– Vous n'y arriverez jamais ! s'écria l'agent du CHAOS. C'est du suicide.

– On y arrivera, dit Ben. C'est dans nos cordes.

– Alors allons-y, les pressa Cally.

Elle sauta sur la table en maintenant son équilibre du mieux qu'elle put. Le vent lui tira aussitôt les cheveux, comme un écolier vicieux. Elle tourna le dos à la fenêtre béante, s'accroupit.

Puis Cally sauta du train.

Les passagers poussèrent un cri d'horreur et se pressèrent aux autres fenêtres, s'attendant à voir passer le corps de Cally, lancé vers la mort. Mais ils ne virent rien de tel, pas de Cally à l'horizon. Des regards incrédules se posèrent sur les compagnons de la fille qui semblait s'être évaporée.

– À qui le tour ? demanda Ben. On ne va pas laisser Cally s'amuser toute seule.

Jake suivit le même chemin qu'elle, puis Jennifer.

– Et moi alors ? dit l'agent du CHAOS, à quatre pattes, en touchant la main de Ben comme un chien qui réclame sa pâtée. Vous n'allez pas me laisser là ?

– Pourquoi pas ? dit Ben avec mépris. Vous n'irez nulle part de toute façon. Moi, en revanche...

Ben s'élança par la fenêtre.

Le vent le frappa comme un coup de poing dans l'estomac. Tellement brutal, tellement froid. Il pouvait à peine respirer, et ne pouvait guère voir. Seuls ses réflexes aiguisés par l'entraînement lui permirent d'aplatir ses mains sur la paroi du train avant qu'il soit emporté et sa courte vie achevée. Il laissa ses jambes pendre derrière lui, ramena ses pieds et réussit à toucher la paroi métallique du bout de ses chaussures. La collapeau fonctionna. Ben était fixé comme une patelle sur la chair glacée d'un train fou.

Ce qu'il ne fallait pas faire pour sauver le monde !

Une chose qu'il n'allait pas faire en tout cas, c'était laisser les autres prendre trop d'avance sur lui. Cally était déjà en train de ramper tout doucement sur le toit, en s'aplatissant au maximum, comme un commando en manœuvre nocturne. Jake et Jennifer n'étaient pas loin derrière, la tête baissée pour supporter la violence du vent, les cheveux de Jen dessinant dans l'air une traînée d'encre noire ; ils avaient au moins réussi à passer sur le toit du wagon.

Ben se mit à ramper en avant, vers le haut. C'était long et douloureux. L'air semblait s'être transformé en béton. C'était un peu comme si on se retrouvait coincé dans une sonnette. Il ne pouvait s'empêcher de plisser les yeux, à cause de la peur irrationnelle que le vent lui arrache les globes oculaires avec la même force qu'il lui frappait le visage. Il allait se payer une migraine d'enfer demain, s'il continuait à lambiner.

Il atteignit enfin le toit, glissa sa main gauche dessus, et commença à faire glisser la droite. Le train fit une embardée. La main droite de Ben se décolla, se refermant sur le vide. Et le vide se referma sur elle, la tirant en arrière.

Ben poussa un cri de frayeur tandis que le côté droit de son corps se détachait du train, et que le gauche offrait une prise vulnérable aux vents furieux.

– Jen ! Jennifer ! À l'aide !

Jennifer vit la situation dangereuse dans laquelle se trouvait son coéquipier. Elle se tortilla pour ramener ses mains plus près de lui. Jake fit de même.

– Tiens bon, Ben ! cria Jennifer. Tiens bon !

– Qu'est-ce que je fais à ton avis ?

Il apercevait non loin derrière lui une voile solaire, ce qui ne le rassurait pas vraiment : s'il lâchait prise, si le vent l'arrachait maintenant de sa position précaire sur ce toit, il irait s'écraser dessus à une vitesse telle que les jolies lumières blanches seraient recouvertes de rouge, au moins pendant quelques secondes. Ben chercha à tâtons la main de Jennifer.

– Vite !

Jennifer était plaquée contre le toit du train. Approchant derrière elle, Jake se souleva un peu, rampa sur elle et se pressa contre elle de tout son poids, de telle sorte qu'elle se trouvait doublement plaquée à la paroi, par sa collapeau et celle de Jake. Avec précaution, elle tendit son bras droit vers Ben et livra sa main au maelström.

– Ben, agrippe-toi ! Magne !

– Comme si...

Ben banda tous ses muscles, se tordant pour forcer son corps à lui obéir malgré la puissance des éléments.

– ... je ne le...

Et dire qu'il devait compter sur Daly et Chen pour le sauver...

– ... savais pas.

Quelle humiliation.

Leurs mains se touchèrent. S'agrippèrent. Jennifer ramena Ben contre la paroi du wagon. La collapeau fit le reste. Ben poussa un soupir de soulagement.

L'humiliation était quand même préférable à la mort. Enfin, un peu.

Mais fini les glissades. Ben se hissa sur le toit et leur indiqua d'un signe de la tête qu'ils devaient se diriger vers la cabine de contrôle.

– Merci ! se sentit-il obligé d'ajouter.

– Quoi ?

Jake l'avait entendu. Ben brailla autre chose. Jake entendit ça aussi.

Pour tout arranger, alors qu'ils progressaient vers la cabine de contrôle, le vent sembla encore forcir. Il ne pardonnerait pas. La moindre erreur et c'en serait fini, sans aucune chance de rémission.

La fenêtre de la cabine de contrôle se trouvait devant eux, descendant sur le nez du train. Ils procédèrent de la même manière, seulement cette fois Jake s'allongea sur Ben tandis que Jennifer rendait le même service à Cally, afin qu'ils puissent préparer et poser leurs nitro-ongles. Ben se demanda si Jennifer avait plus apprécié cette position que lui. Non, pas la peine de poser la question. Elle avait dû plus apprécier.

Il n'avait jamais été si content de voir fonctionner parfaitement des nitro-ongles.

L'équipe Bond plongea dans la cabine de contrôle et reprit son souffle, le temps de se remettre de ses efforts. Le conducteur était mort, électrocuté, ce qui était prévisible. Son corps était affaissé près de la porte, comme s'il avait essayé de sortir de la cabine quand il s'était rendu compte qu'il ne contrôlait plus le train.

Cally ne perdit pas de temps : elle lutta contre le vent étourdissant pour s'asseoir devant la console de l'ordinateur de bord et ses doigts commencèrent leur ballet.

Le train-lumière accéléra encore, ce qu'ils n'auraient pas cru possible, comme si le virus Némésis savait qu'il était menacé et était déterminé à faire dérailler le train avant qu'ils parviennent à le stopper.

Le sol vibra, brinquebala sous leurs pieds. Les roues surchauffées grincèrent sur des rails qui n'étaient pas adaptés pour supporter cette course folle.

Cally inséra son disque et tenta de passer aux commandes manuelles encore et encore. Il suffisait que la connexion s'opère une seule fois. Si seulement il se connectait une fois...

Les autres furent projetés sur le côté par une embardée et se retrouvèrent par terre.

– Dis-nous que ça marche, Cally, dit Jake. Et vite.

– Mon Dieu, murmura Cally.

Sur l'écran qui lui faisait face, quelque chose se passait. Quelque chose prenait forme. Ce quelque chose, elle le savait, c'était Némésis. Le virus était conscient, comme le leur avait expliqué l'agent du CHAOS. Il s'était fabriqué une identité. Il s'était construit un corps. Depuis son nid empoisonné dans le cyberespace, elle pouvait sentir le regard de dégoût violent, sans mélange, qu'il lui jetait. Il enregistrait ses traits, les traduisait en données, les stockait pour un usage futur, de même qu'elle le mémorisait lui.

Et la petite Beth avait dit vrai. Némésis était bien une araignée. Un arachnide grotesque, métallique, avec une tête noire luisante, de multiples yeux protubérants qui brillaient d'une intelligence mauvaise, où défilaient des codes binaires qui calculaient perpétuellement. Sa gueule s'ouvrait, pleine d'électrodes alignées comme des seringues, comme des crocs. La haine froide qui se dégageait de la créature était tangible, comme une force physique. Cally faillit se mettre à hurler.

Puis une voix étonnamment calme retentit: «Passage en contrôle manuel.»

Némésis se replia dans les profondeurs intraçables du cyberespace. Elle n'avait pas été détruite, Cally le savait. Elle n'avait même pas été vaincue. C'était un simple repli stratégique.

Cally s'appliqua aussitôt à faire ralentir progressivement le train.

– Tu as réussi ! s'exclama Ben. Tu as réussi ! répéta-t-il, comme s'il devait encore s'en convaincre.

– Pourquoi, tu en avais douté ? dit Jennifer, mais elle aussi était visiblement soulagée.

– Eh bien ! Content que ça soit fini, dit Jake en passant une main sur son front en sueur. La prochaine fois, je prendrai l'avion.

– Fini ? dit Cally, dubitative, les yeux toujours rivés sur l'écran. Oh ! c'est loin d'être fini. J'ai même le sentiment que ça ne fait que commencer.

CCI FICHE D'INFORMATION FBA 8375

... satisfaites qu'on leur reconnaisse le mérite d'avoir évité une catastrophe à bord du train-lumière, et prétend que cet incident démontre que la politique de sécurité du gouvernement commence à payer.

Par ailleurs, les corps des techno-terroristes Serguei Boromov et Pascal Z, parmi d'autres, auraient été retrouvés dans un endroit qui n'a pas été révélé, au sud des États-Unis. Les autorités saluent également cette découverte comme une victoire dans la guerre contre le CHAOS, puisque Boromov et Z étaient suspectés d'être des éléments clés de cette organisation. Dans l'hypothèse où leur mort serait confirmée, une question demeure cependant : les terroristes ont-ils été abattus par les forces de sécurité, à la suite de dissensions internes à l'organisation, ou bien pour une autre raison encore inconnue ?

DEUXIÈME PARTIE

8

– Alors, il ne s'est rien passé de particulier pendant notre absence ?

C'était la question qu'elle redoutait, presque autant qu'une visite chez le dentiste, et Lori savait que Ben ne manquerait pas de la poser. Que pouvait-elle répondre ? La vérité ? Toute l'éducation de Lori allait dans ce sens : elle disait toujours la vérité – ce qui dans le cas présent donnerait quelque chose comme : « Oh ! tout s'est bien passé, Ben. Excepté que j'ai beaucoup vu Simon Macey en ton absence, qu'il a été jusqu'à m'embrasser et qu'en ce moment je ne suis pas vraiment sûre de ce que je ressens pour lui... ou pour toi. » Elle imaginait mal que sa franchise soit bien reçue. Mais elle n'arrivait pas non plus à se convaincre de mentir carrément.

– Eddie ?

– Nan, dit Eddie en haussant les épaules. Rien à signaler, chef. Si ça continue à être aussi calme, l'école va bientôt être reclassée maison de retraite.

Lori éclata de rire, un peu plus fort que nécessaire. Elle espérait que Ben interpréterait la rougeur de ses joues et sa nervosité croissante comme des signes d'excitation après qu'il fut rentré sain et sauf de l'incident du train-lumière. L'atmosphère générale de sérieux de cette réunion dans la chambre des filles l'aida à se calmer, mais Lori jugea préférable de changer de sujet.

– Une fois que Cally a réussi à stopper le train, que s'est-il passé ? Vous avez été élus héros du jour ?

– Plutôt hommes de la minute, corrigea Ben.

– Et les femmes aussi, pas vrai, Jen ?

Cally tenait à ce que leur contribution féminine soit pleinement reconnue.

– Des agents fédéraux sont arrivés quasiment sur-le-champ, expliqua Jake. Ils ont embarqué le type du CHAOS. Et ils ont commencé à persuader les gens qu'ils n'avaient pas réellement vu ce qu'ils croyaient avoir vu. Tu sais que Deveraux tient à garder le secret sur notre existence. On dirait bien qu'il a des amis au gouvernement qui souhaitent la même chose.

– Est-ce qu'ils ont... effacé la mémoire des passagers ? demanda Lori, choquée.

– Je l'ignore, avoua Ben. J'imagine que s'ils ont estimé que c'était nécessaire, ils l'ont fait.

Lori se renfrogna.

– Je crois que cette idée me gêne. Je ne trouve pas ça bien.

– Qu'est-ce qui n'est pas bien dans le fait d'effacer des souvenirs traumatisants de la mémoire des gens ? intervint Jennifer. C'est sans doute plus efficace qu'un soutien psychologique pour les aider à se remettre de... enfin, d'une mauvaise expérience.

– Je ne sais pas, hésita Cally. Je crois que sur ce point je suis d'accord avec Lori. Pratiquer le lavage de cerveau nous protège peut-être, mais c'est faire peu de cas du droit des gens à disposer de leurs souvenirs. Je ne sais pas où est le moindre mal ici.

– Hé, professeur Cross, dit Ben, gardons pour plus tard le débat sur l'éthique de l'espionnage. Notre devoir, c'est d'accomplir une mission, pas de nous demander pourquoi. Et Grant nous attend pour le débriefing. Ne le laissons pas s'impatienter.

Tous se préparèrent à partir, à l'exception d'Eddie et Lori.

– Après, on ferait bien de se réunir à nouveau et de se concentrer sur le Bouclier de Sherlock : il faut qu'on revoie ensemble notre stratégie. Il ne reste plus que l'épreuve contre la montre et le duel final. On ne peut plus se permettre de gaffe.

Lori se demanda si c'était délibérément ou non que Ben l'avait regardée en prononçant le mot « gaffe ». Dans tous les cas, il la mettait sous pression d'une manière que Simon ne se serait sans doute pas permise. Malgré tout, c'était bon d'avoir de nouveau Ben à ses côtés. Elle suspectait que, sans lui, elle ne se sentirait pas la même personne, elle n'en serait pas capable. C'était sans doute une bonne chose, finalement, que ses coéquipiers, aussitôt débarqués, soient occupés pour un temps avec Grant. Lori se sentait aussi désorientée que si on l'avait laissée dans une pièce sans issue avec un bandeau sur les yeux. Elle avait besoin de temps pour réfléchir. Elle avait besoin de temps pour faire un choix.

– Lori, ça te dirait de prendre un verre au foyer en attendant que les quatre fantastiques en aient fini avec Grant ?

– Hein ? Oh, désolée, Eddie. (Elle avait presque oublié qu'il était encore dans la chambre.) Tu as dit quelque chose ?

– Je crois, oui, réfléchit Eddie. Mais vu que les autres sont partis et que tu n'as pas l'air de m'avoir entendu, je commence à avoir des doutes.

– Tu vas bien ?

– Oui ; mais, pour en revenir au lavage de cerveau, je commence à penser que ma participation à cette équipe est en train d'être effacée petit à petit. Tu vois, si on posait une question bête, du genre : « Nommez les six membres de l'équipe Bond », je suis sûr que je serais celui dont personne n'arrive à se souvenir. Enfin, j'en suis là. Alors, un verre au foyer, ça te dit ?

Mais Lori n'écoutait déjà plus.

C'était le genre de cellules qu'on voyait dans les vieux films sur les prisons. Des murs nus. Des barreaux à la fenêtre. Des dalles sur le sol. Une couchette sommaire rattachée au mur par des chaînes. Une chaise et une table sans rien dessus. Un lavabo qui avait peut-être été blanc un jour mais qui était à présent d'un gris répugnant. Et un seau dans un coin pour faire ses besoins.

Le prisonnier poussa un soupir de soulagement.

– Parfait, dit-il.

– Content que vous aimiez, répondit son interrogateur. Parce que vous êtes parti pour rester là un bon moment.

– Oh ! je sais.

Le prisonnier déambula au centre de la cellule, comme un acheteur potentiel qui fait le tour du propriétaire. Il plissa les yeux en regardant l'ampoule nue qui descendait du plafond.

– La lumière est bien alimentée par une source d'électricité normale ? Aucun circuit contrôlé par ordinateur ?

– Aucun, lui assura l'interrogateur. Tout est exactement comme vous l'avez demandé, dit-il avec une pointe d'impatience dans la voix. Et maintenant, votre part du marché, Corbin ?

– Bien sûr, dit le prisonnier. Je vais tout vous dire. Sur le CHAOS. Sur Némésis. Surtout sur Némésis. Il est tout autant dans mon intérêt que dans le vôtre que Némésis soit détruite.

– Très bien. Nous allons commencer aussi vite que possible

L'homme qui s'appelait Corbin sourit, peut-être pour la première fois depuis qu'il était monté à bord du train-lumière.

– Quand vous voulez, dit-il. Je suis en sécurité ici.

Il eut un petit rire nerveux tandis que l'interrogateur alla fermer la porte.

– Peu de gens sur cette planète peuvent en dire autant.

Quand Cally et Jennifer rentrèrent dans leur chambre après le débriefing avec Grant, elles la trouvèrent vide. Lori n'y était pas. Jennifer sembla contente.

– Ça me donne l'occasion de... Je voulais te demander un conseil, Cally, commença-t-elle prudemment.

– Un conseil ?

Cally tenta de dissimuler sa surprise du mieux qu'elle put, mais c'était vraiment une première. Ce n'était pas dans les habitudes de Jennifer de demander quelque chose à quiconque, ne serait-ce que pour changer de chaîne sur la télé.

– À propos de quoi ?

– Ce n'est pas *quoi*, avoua Jennifer avec une pudeur qui ne lui ressemblait pas. C'est *qui*. Et c'est Jake.

– Jake ?

Cally sut tout de suite ce qui allait venir. Elle supposa qu'elle aurait dû se sentir flattée que Jennifer la choisisse comme confidente.

– Oui, Jake, fit Jennifer en ouvrant grands les bras puis en les resserrant sur elle, comme si elle sentait soudain le froid. Je crois que je l'aime bien.

– On aime tous bien Jake.

– Oui, je sais, mais je veux dire que je l'aime bien, *bien*.

– Tu l'aimes bien, *bien*? répéta Cally en faisant la moue. Autant que ça?

Elle se dit qu'il valait mieux ne pas mentionner l'attirance temporaire qu'elle avait eue pour Jake.

– Beaucoup, dit Jennifer. Je veux dire, je pense à lui, comme ça, depuis un moment déjà, bien avant qu'on aille au dôme. Et en passant du temps avec lui là-bas, en le voyant un peu en dehors du contexte de Spy High, j'ai... (Elle secoua la tête, comme si elle n'y croyait pas elle-même.) Mais je ne sais vraiment pas comment m'y prendre.

– Tu ne sais pas... ? dit Cally en riant. On parle bien du même Jake, n'est-ce pas, Jen? Le Jake qui voulait désespérément que tu l'accompagnes à la fête de Noël, le Jake qui te dévore des yeux à chaque fois que tu es dans la même pièce que lui? Crois-moi, ça ne m'a pas échappé. Tout ce que tu as à faire, c'est d'aller le voir et de lui dire « salut ».

– Ce n'est pas aussi simple, dit Jennifer dont l'expression s'était assombrie. Ce n'est pas évident pour moi de... laisser les gens m'approcher. C'est... enfin... c'est peut-être moi qui suis comme ça.

Les souvenirs s'éveillèrent dans un coin de sa tête, les cris et l'angoisse. Elle s'efforça de les ignorer, ce qui était plus facile à faire quand il faisait encore jour.

– J'ai pensé que Jake m'aimait peut-être bien, ou du moins qu'à un moment il m'aimait bien. Mais je ne l'ai jamais encouragé dans ce sens. Et si c'était trop tard et qu'il ne s'intéressait plus à moi? Je ne lui en voudrais pas, mais je ne pense pas que je pourrais supporter d'être rejetée.

– Crois-moi, Jennifer, répéta Cally, tu n'auras jamais à supporter d'être rejetée par Jake. Le conseil de tante Cally, c'est parle-lui. Dis-lui ce que tu ressens. Jake ressent déjà la même chose, j'en suis sûre.

– Tu le penses vraiment ?

– Absolument. Mais si tu veux avoir un autre avis, demande à Lori quand elle reviendra. Pour être honnête, mes performances dans les relations avec le sexe opposé ne risquent pas d'être retenues pour la sélection olympique, mais Lori pourrait aisément représenter les couleurs nationales. Elle sera sans doute de meilleur conseil sur le sujet.

– Merci, mais je préfère m'en abstenir, dit Jennifer avec un sourire. Les conseils de quelqu'un dont le petit ami est Ben Stanton, je peux m'en passer.

À cet instant précis, Lori poussait la porte de l'école après une promenade sans but précis dans le parc. Sans résultat précis non plus. Elle avait été incapable de prendre une décision sur le sujet qui la préoccupait. Ben et Simon étaient comme deux poids égaux sur une balance, et Lori ne savait pas de quel côté la faire pencher.

Elle devait être plongée dans ses pensées. Elle ne remarqua même pas les étudiants qui se trouvaient dans le hall d'entrée jusqu'à ce qu'elle leur marche droit dedans. Ou plutôt à travers, vu que les étudiants qui déambulaient perpétuellement dans ces couloirs étaient des hologrammes. Seule Lori était réelle.

– Ça va bien, ma chérie ?

Et Violette Pommier, bien sûr, l'agent secret à la retraite qui était devenue la réceptionniste à plein temps de l'école.

– C'est juste que la plupart des gens trouvent plus pratique de regarder où ils mettent les pieds, ajouta-t-elle.

Ses yeux inquisiteurs qui scrutaient Lori semblaient n'avoir pas besoin de lunettes pour voir en elle.

– Non, ça va, merci, madame Pommier, dit-elle en rougissant. J'avais la tête ailleurs, c'est tout.

– Un bon agent secret n'a jamais la tête ailleurs, dit la vieille dame avec un petit sourire. Je le sais, vu le nombre de missions que j'ai effectuées sur le terrain quand j'étais plus jeune.

Dommage qu'ils ne te mettent pas au vert alors, pensa Lori, un peu méchamment.

– Problème de cœur, hein ?

– Excusez-moi ?

– Allez, jeune fille, fit Violette Pommier en souriant de toutes ses dents blanches refaites génétiquement. J'ai bien pris un peu d'âge, mais je peux encore me souvenir de ce qu'est un problème de cœur. Et je sais aussi en reconnaître les symptômes.

La vieille dame était perspicace, trop perspicace. Lori sentit qu'elle allait bientôt devenir experte dans l'art de changer de sujet.

– En fait, mentit-elle gentiment, je pensais au professeur Newbolt.

– Vraiment ? dit Violette Pommier en fronçant les sourcils. Eh bien, je trouve que le professeur est un peu vieux pour toi, Lori, même si c'est très flatteur pour lui.

– Non, je ne voulais pas dire ça, sourit Lori – et soudain il lui vint à l'idée que Violette Pommier était peut-être la personne qui pourrait la renseigner sur le passé de Gadget, et sur Vanessa. J'imagine que vous connaissez le professeur Newbolt depuis longtemps, madame Pommier.

– Oui, assez longtemps, répondit Violette en secouant la tête tristement. C'était vraiment quelqu'un de bien avant, tu sais, un vrai génie. Quand on voit ce qu'il est devenu aujourd'hui... eh bien, il faut parfois se réjouir de ne pas savoir ce que l'avenir nous réserve.

– Savez-vous s'il avait une petite-fille ? Vanessa ? demanda Lori.

Violette Pommier regarda Lori avec un intérêt accru.

– Qui vous a parlé de Vanessa ?

– Je ne... Je voulais juste... il y a bien une Vanessa alors ?

Pour la première fois, la vieille réceptionniste sembla déroutée, et parut son âge.

– Plus maintenant, dit-elle froidement. Il y a eu une Vanessa, l'unique petite-fille d'Henry Newbolt, mais plus maintenant.

– Pourquoi ? demanda gentiment Lori, qui sentait que quelque chose de tragique se cachait derrière tout ça. Il lui est arrivé quelque chose ?

– Oh oui, dit Violette Pommier. Il lui est arrivé quelque chose. Des agents ennemis, pour être plus précise. Ils voulaient mettre la main sur les inventions du professeur, mais ils savaient très bien qu'il ne travaillerait jamais pour eux de son plein gré. Alors ils ont kidnappé la pauvre petite Vanessa. Ce n'était qu'une jeune fille, d'à peu près ton âge, Lori. D'ailleurs, en y pensant, tu lui ressembles un peu. Je me souviens de l'avoir vue lors d'une soirée chez le professeur. Une fille si brillante, si pleine de vie... Ils l'ont prise. Ils l'ont enlevée et s'en sont servi pour faire du chantage auprès de son grand-père. Enfin, du moins, essayer.

Lori se rapprocha de Violette Pommier. La voix de la vieille femme s'était réduite à un murmure.

– Essayé ?

– Je crois que ça lui a brisé le cœur, mais le professeur ne pouvait permettre que ses inventions tombent dans de mauvaises mains. Elles auraient pu mettre en danger des milliers de vies, et Vanessa ne comptait que pour une, une unique et précieuse vie. Il a fait tout ce qu'il a pu pour repousser l'échéance, pour gagner du temps, en espérant que les autorités découvriraient où Vanessa était retenue, dit Violette Pommier, puis elle soupira. Ils ont fini par trouver. Mais c'était trop tard. Ils ont retrouvé la pauvre Vanessa, mais elle était morte.

Lori était soudain plus contente encore d'avoir joué le jeu et permis au professeur de garder ses illusions.

– Le professeur ne s'est jamais tout à fait remis du choc, bien sûr. Qui l'aurait pu? Il s'est culpabilisé. S'il n'avait pas été là, pensait-il, sa chère Vanessa serait toujours vivante. Ça a été le début de la fin.

– Je suis désolée, dit Lori dont les problèmes personnels lui semblèrent soudain mineurs et sans gravité. Pauvre professeur Newbolt.

– En fait, c'est loin d'être la seule histoire tragique que je peux raconter sur Spy High, reprit Violette Pommier, prête à enchaîner. Tiens, par exemple, il y a une fois...

– Euh... je dois y aller, madame Pommier. (C'était la vérité; Ben et les autres devaient l'attendre à présent.) Merci pour la discussion, mais j'ai une réunion avec mon équipe. On doit se préparer pour l'épreuve contre la montre et on veut être sûrs de bien nous en sortir.

– Oh! tu t'en sortiras très bien, Lori Angel, dit Violette Pommier avec un grand sourire. Je n'ai aucun doute là-dessus.

Lori allait peut-être bien donner raison à la réceptionniste.

Dans le lointain, le complexe explosa, une lueur orange qui embrasa l'après-midi arctique. La neige craquante trembla sous les pas de l'équipe Bond.

– On ne pourrait pas se rapprocher un peu, après tout? demanda Eddie. Juste histoire de se réchauffer les doigts? Je ne sais pas pour vous, les gars, mais l'isolation de ma combichoc n'a pas l'air de fonctionner. Je me les caille vraiment. À propos, vous connaissez l'histoire des esquimaux et des singes qui...

– Serre les dents et ferme-la, Eddie, le coupa Ben, pour qui ce n'était apparemment pas le moment de bavasser. La montre tourne toujours ; on n'en a pas encore fini. Qui a le leurre ?

– Le voici, dit Jake.

Il tenait un petit appareil électronique à la main. Le leurre. L'équipe Bond ignorait à quoi il pouvait bien servir, mais ce n'était pas leur problème. Le leurre était le but de leur mission. Ils devaient le localiser, le retrouver et le ramener en sécurité. Alors l'épreuve contre la montre serait finie. Ils avaient accompli les deux premières phases de leur mission ; restait la troisième.

– Donne-le-moi, dit Ben, comme si l'objet lui appartenait. Je m'en occupe.

– J'ai entendu un « s'il te plaît » ? rétorqua Jake en lui tendant malgré tout le leurre.

– La politesse est une perte de temps en mission, fit remarquer Ben.

– Oui. Les disputes aussi, intervint Cally en secouant la tête telle une maîtresse essayant de calmer deux sales gosses. Dois-je vous rappeler que chaque seconde compte, les garçons ? Alors gardez votre testostérone pour plus tard et filons d'ici.

– Bien dit, applaudit Eddie, partons avant que je commence une nouvelle carrière de bonhomme de neige. Je parie que c'est la bande de Macey qui a suggéré ce scénario hivernal pour l'épreuve contre la montre. Et dire que ce n'est même pas Noël, ajouta-t-il avec un frisson exagéré.

– Macey est un type froid, fit remarquer Ben. Cet endroit lui conviendrait parfaitement.

Froid ? réfléchit Lori. Ses lèvres ne l'étaient pas en tout cas quand il l'avait embrassée. Mais elle chassa ce souvenir de ses pensées. L'épreuve contre la montre imaginée par l'équipe Solo était la plus difficile qu'ils avaient eue à affronter jusqu'ici. Ils devaient réaliser un très bon temps pour prendre de l'avance sur leurs rivaux.

– Alors, qu'est-ce qu'on attend ? On active les pskis ?

– C'est parti, dit Ben. Mettez les pskis.

Lori pressa un bouton sur les lunettes qu'ils portaient tous afin de se protéger les yeux de la réverbération du soleil sur la neige. Des bâtons de ski surgirent instantanément dans leurs mains gantées et des skis apparurent sous leurs pieds – des instruments psychiques, créés et dirigés par le seul pouvoir de la pensée. Dans les univers de réalité virtuelle tels que celui-ci, Lori le savait, tout pouvait arriver. Et c'était le génie de Gadget Newbolt qui avait rendu tout cela possible – tout, sauf la seule chose qu'il aurait vraiment voulue : faire revenir Vanessa à la vie.

– Tout le monde a ses pskis ? vérifia Ben.

– Ça vaudrait mieux, fit remarquer Jennifer en pointant le doigt vers la piste glacée qui s'étalait derrière eux. Parce qu'on a de la compagnie.

Des types en tenue polaire, eux aussi équipés de pskis, approchaient en leur tirant dessus à l'arme automatique.

– Est-ce qu'ils ne voudraient pas récupérer le leurre, par hasard ? se demanda Eddie.

– Alors il va falloir qu'ils viennent le chercher.

Ben s'était aussitôt élancé avec adresse, ses coéquipiers dans son sillage. Ils filèrent sur l'étendue enneigée, les lames brillantes de leurs pskis effleurant à peine le sol gelé vers le point de rendez-vous. L'air glacé les faisait suffoquer.

– Je crois qu'à partir de là ça va être tout en pente, prévint Eddie.

Des petits geysers de neige éclataient de plus en plus près d'eux à mesure que leurs poursuivants réglaient mieux leurs tirs.

– Dispersez-vous ! ordonna Ben. Et débarrassons-nous de ces sangsues !

Jennifer fit pivoter ses hanches, choisit sa cible et tira une somno-lance. Les minuscules fléchettes frappèrent l'homme en pleine poitrine, le renversèrent et l'envoyèrent s'étaler dans la neige. Voilà un poursuivant qui ne se réveillerait que bien plus tard, avec de sacrées engelures.

– Jen !

Alertée par Cally, Jennifer se retourna : devant elle, la piste s'interrompait soudain. Elle se précipitait droit sur une dépression où affleuraient des rochers et que les autres avaient réussi à contourner. C'était trop tard pour Jennifer. Mais ce n'était pas un problème. Elle tendit ses muscles et bondit telle une championne de saut à ski, le son des armes automatiques crépitant autour d'elle comme des applaudissements. Elle parut un instant s'immobiliser en l'air, comme si c'était le sol qui bougeait, qui montait à sa rencontre tel un mur blanc. *Détends tes jambes*, pensa Jennifer. *L'équilibre.* Le sol se précipitait vers elle. Elle retint sa respiration. *Contact.* Le choc de l'atterrissage se répercuta dans tout son corps en secousses violentes, mais ses pskis restèrent loyaux et elle parvint à maintenir sa trajectoire. Elle ne chuta pas. L'équilibre. Sur des pskis au moins, Jennifer Chen parvenait à le trouver.

– Dix sur dix ! lui cria Jake avec admiration.

– Et voilà l'hélicoptère ! s'écria Eddie. Soupe chaude pour tout le monde.

De façon assez inattendue, leurs poursuivants semblaient avoir abandonné la chasse. L'équipe Bond fonça vers l'hélicoptère. Ils purent bientôt distinguer le caporal Keene accompagné d'un groupe de soldats. C'était ce qui était prévu. Il leur suffisait de remettre le leurre à Keene pour que la course contre la montre s'achève. Ben espérait de tout son cœur que, dans le monde réel, devant les écrans, Simon Macey était en train d'assister à leur victoire.

Lori, qui était à ses côtés, s'interrogea :

– Mais le point de rendez-vous n'était pas supposé être un peu plus loin ? Je veux dire, je peux me tromper mais...

– On dirait que c'est le cas, dit Ben. Keene est bien là comme prévu.

Un Keene souriant. Des soldats souriants. Heureux de voir l'équipe Bond arriver à l'hélicoptère et désactiver leurs pskis. Un Keene qui les complimentait sans tarir d'éloges :

– Bien joué, équipe Bond. Du très bon boulot. Et qui a le leurre ?

– Ne me regardez pas comme ça, dit Eddie. Tout ce que j'ai, c'est des engelures.

– Il est là, caporal, dit Ben en sortant l'appareil de sa sacoche de ceinture.

– Parfait, dit Keene en souriant chaleureusement. Donne-le-moi maintenant et c'est fini. Tu es un bon garçon, Ben.

– Ouais, répliqua Ben en souriant froidement. Et meilleur que vous ne le croyez.

La fléchette de sa somno-lance s'enfonça dans le front de Keene. L'homme s'affaissa sur les genoux comme un chêne qu'on abat. Tout le monde poussa un cri de surprise, à l'exception de Lori qui était déjà en train d'éliminer plusieurs soldats. Leurs camarades ouvrirent le feu, mais trop tard. L'équipe Bond, agissant comme un seul homme, activa ses somno-lances et les envoya au tapis.

Ben espérait vraiment que Simon Macey les regardait.

– Alors maintenant, ça t'embêterait de m'expliquer pourquoi on vient juste de descendre les bons ? demanda Jake. J'espère que tu as une raison valable.

– La meilleure, dit Ben. Justement, ce ne sont pas les bons. C'était un piège. Regarde.

Jake et les autres se penchèrent sur le corps de Keene. Qui ne ressemblait d'ailleurs plus à Keene. À la place où se trouvait quelques secondes auparavant le visage du caporal, il n'y avait plus qu'une forme ovale et lisse, comme un œuf.

– Un androïde, comprit Jake. Keene était un androïde. Mais comment l'as-tu deviné?

– Lori m'a mis la puce à l'oreille, admit Ben. Ce n'est pas exactement l'endroit prévu pour le rendez-vous. Et puis il y a ce que Keene m'a dit. Le programme a été conçu par l'équipe Solo, et jamais Simon Macey n'autoriserait un scénario à me féliciter, sinon ironiquement. Alors je me suis dit que ce devait être un piège. Et j'ai eu raison.

– Bien vu, accorda Jake. Un point pour notre leader.

– Et une leçon pour nous tous, dit Ben. Il faut se méfier de Macey, surtout quand il semble amical.

Heureusement pour Lori, Ben ne la regardait pas en prononçant ces paroles.

Dans la cellule nue, cerné par ses interrogateurs, l'homme nommé Corbin pâlit.

– Non, refusa-t-il. Non, non et non. C'est hors de question.

L'expression implacable sur le visage de l'interrogateur en chef laissait deviner qu'une telle réponse n'était pas acceptable.

– Non? Mais vous avez promis de nous aider, Corbin. C'était le marché.

– Je vous ai aidés, protesta le prisonnier. Je vous ai donné tous les détails nécessaires pour localiser les bases du CHAOS, y compris celle-ci. Mais je suis un informateur, pas un guide touristique. À vous de vous débrouiller maintenant, dit-il en laissant apparaître un petit sourire. Il me semble que vous avez assez d'hommes, non?

– Oh! nous en avons, répondit l'interrogateur en chef, et nous avons rendu visite à vos anciens camarades. Nous avons trouvé précisément ce à quoi nous nous attendions, Corbin. Les agents du CHAOS sont soit morts soit éparpillés dans la nature. Némésis a atteint vos bases avant nous et a tout détruit, en ne nous laissant aucun indice qui nous permettrait de la dénicher dans l'hyperespace, aucun moyen de retrouver sa trace.

– Oui, notre petite création est aussi maligne que dangereuse.

– Notre problème, Corbin, c'est que le délai d'une semaine que vous et vos amis ont accordé avant qu'une autre atrocité soit commise est sur le point d'expirer, et que nous préférerions que Némésis expire elle aussi avant que cela ne se produise.

Corbin secoua la tête d'un air las.

– Vous ne comprenez donc pas? Vous posez des questions, mais vous n'écoutez pas les réponses. Némésis n'est plus sous contrôle. Elle est consciente. Elle prend ses propres décisions. L'ultimatum que nous avions donné est nul et non avenu.

– Autrement dit, Corbin, le questionna l'interrogateur en chef, vous prétendez que Némésis pourrait frapper à n'importe quel moment, c'est bien ça?

– Enfin un cerveau qui fonctionne, grommela Corbin. Vous avez mérité une promotion.

– Ce qui rend d'autant plus impératif que vous nous accompagniez dans la base suprême du CHAOS, la base où Némésis a été créée... que vous nous y accompagniez *avant* qu'une autre attaque ait lieu.

Corbin comprit que ses arguments s'étaient retournés contre lui, mais il ne bougea pas d'un pouce.

– Vous connaissez déjà ma réponse à cette proposition.

– Dans ce cas, dit l'interrogateur en chef à l'un de ses compagnons, je crois qu'il ne nous reste plus qu'à envoyer M. Corbin dans une prison normale. Je suis sûr qu'il sera plus à l'aise dans une jolie cellule moderne, contrôlée par ordinateur, avec accès à l'Internet. On pourrait même y ajouter de la mémoire, juste pour lui. Arrangez-moi ça.

– D'accord, d'accord ! éclata Corbin. Je vais vous accompagner, je vous emmène là-bas, mais nous ne trouverons rien, je vous assure. Némésis est trop intelligente pour se laisser attraper comme ça. Et nous voyagerons uniquement par des moyens de transport de basse technologie. Je n'ai pas envie de revivre l'expérience du train-lumière.

Corbin sembla penser à quelque chose d'autre. Ses yeux se plissèrent d'un air rusé.

– Et une condition supplémentaire...

– Vous n'êtes pas en position de poser vos conditions, Corbin.

– Oh que si ! répondit-il avec un sourire sarcastique. Nous n'y allons pas seuls. Ces gosses, ceux qui ont sauvé le train-lumière, je me fiche de savoir qui ils sont, mais je les veux avec nous. Ils ont le chic pour rester en vie dans les circonstances les plus déplaisantes. S'ils ne font pas partie de l'équipe, monsieur l'interrogateur, alors moi non plus.

Corbin se pencha vers l'homme et lui retourna ses propres paroles :

– Arrangez-moi ça.

Il aurait probablement été meilleur pour les nerfs de Ben de ne pas suivre l'épreuve contre la montre de l'équipe Solo, mais il aurait été impossible de le détourner de l'écran à présent, à moins peut-être qu'une horde de chevaux sauvages débarque dans la pièce et accepte de le remorquer.

Simon Macey et ses coéquipiers avaient mis la main sur le Pouvoir du Ankh. Ils avaient repoussé avec succès l'attaque des momies (« Ça, c'est emballé », Macey avait-il eu le culot de sortir). Ils étaient même parvenus à se frayer un chemin à l'intérieur de la pyramide (et personne n'osa mentionner avec quelle rapidité, surtout pas devant Ben). Tout ce qu'il leur restait maintenant à faire, c'était de décrypter le code hiéroglyphique avant d'être submergés par les renforts de momies et d'accéder au panneau d'évacuation ; l'énigme virtuelle créée par l'équipe Bond, qui faisait leur fierté, et dont Ben avait même prétendu qu'elle était insoluble, serait non seulement résolue, mais ridiculisée.

L'équipe de Macey était bien partie pour prendre la tête dans la course au Bouclier de Sherlock.

– Ce n'est pas possible, dit Ben qui ne voulait pas accepter la réalité. La manière dont ils se sont baladés dans la pyramide... On a passé des heures à mettre au point ce labyrinthe. Ils s'en sont sortis comme si le parcours était fléché.

– Ils ne sont pas encore au bout de leurs peines, dit Cally. Ils ne déchiffreront pas mes codes aussi rapidement.

Elle aurait dû ajouter : « Enfin, j'espère. » Tandis que leurs coéquipiers tenaient à distance les momies pataudes et les renvoyaient dans leur sommeil éternel à grands renforts de somno-lances, Simon Macey et Sonia Dark s'affairaient sur les combinaisons de hiéroglyphes. Un symbole s'éclaira soudain sur la paroi de la pyramide.

– Ils en ont trouvé un ! s'écria Jennifer.

– Un, ça va encore, dit Ben, qui tentait à tout prix de se rassurer. Un, ce n'est pas grave. Il faut qu'ils trouvent les six.

– Oui ? Eh bien on dirait qu'ils en sont déjà à la moitié, fit remarquer Jake tandis que deux symboles supplémentaires s'illuminaient, à la grande joie de l'équipe Solo.

Lori ne savait pas vraiment ce qu'elle ressentait en observant la scène. Bien sûr, elle était loyale envers ses amis. Elle voulait que l'équipe Bond gagne. Mais en regardant l'expression d'intense concentration sur le visage de Simon, elle sentit que, d'une certaine façon, elle lui souhaitait aussi de l'emporter. Quel que soit le résultat, pensa Lori, peut-être que ce serait elle la véritable perdante.

– Quatre ! Ils ont trouvé quatre symboles, dit Eddie. Il ne leur en reste plus que deux.

– Les maths finissent par rentrer, tu vois, Eddie, commenta Jake.

– Et un de plus, précisa Cally. Mais ce code était... Je ne comprends pas.

Personne n'osa prononcer un mot lorsque le sixième symbole s'éclaira. L'équipe Solo poussa en chœur un cri de victoire et le programme s'interrompit. Personne n'eut besoin de consulter le chronomètre. Quand vous êtes battu à plate couture, vous le savez très bien.

– C'est clair, maintenant ? ragea Ben qui avait ravalé sa colère et sa frustration – mais elles infectaient ses mots comme du poison. Parce que ça l'est pour moi. Macey et ses copains n'auraient jamais pu réussir si vite sans être aidés d'une manière ou d'une autre. Ce n'est tout simplement pas possible.

– Quoi ? fit Lori, soudain en alerte. Tu penses que Simon a triché ?

– Pire que ça, lâcha Ben en dévisageant les autres d'un regard glacial. Je pense qu'il y a un traître dans l'équipe Bond.

9

– D'accord, Macey, qui c'était ? dit Ben en faisant irruption dans la salle de réalité virtuelle.

– Ben, attends ! cria Lori qui s'était lancée à sa poursuite avec le reste de l'équipe Bond.

Le sifflement de l'ouverture des cyber-cocons planait encore dans l'air. Simon Macey ne s'était même pas encore redressé, il était toujours prisonnier des mécanismes qui permettaient de transférer les étudiants d'une réalité à l'autre. Mais il n'était apparemment pas près de s'asseoir ; en tout cas pas tant que Ben continuerait à le serrer au collet, en pesant de tout son poids et en lui criant dessus.

– Qui c'était, espèce de sale tricheur ? Qui nous a vendus ?

Simon Macey éclata de rire, un rire rauque et crachotant à cause de la prise de Ben qui l'étranglait à moitié. Mais il riait au visage de Ben.

– Alors, Stanton, on n'est pas habitué à n'être que le deuxième ? Il va bien falloir, pourtant.

– Ben, laisse-le ; s'il te plaît, insista Lori en lui tirant le bras.

Jake le tirait en arrière par l'autre bras.

– Tu ne vois pas que c'est ce qu'il veut ? Tu entres dans son jeu.

– Si j'étais vous, je reculerais, équipe Bond.

Sonia Dark et les autres étaient sortis de leurs cyber-cocons, mais ils avaient ramené de leur épreuve dans le cyberespace l'adrénaline et le goût de la violence. Ils étaient prêts à en découdre.

– Ou quoi? Reculer ou quoi? dit Jennifer qui semblait elle aussi n'attendre que ça. Vous voulez vous battre?

– Ce serait avec plaisir, dit Sonia Dark.

– Qu'est-ce qui se passe ici? tonna la voix du caporal Keene, résonnant de toute son autorité.

– Je pense qu'on appelle ça un débat vigoureux, caporal, dit Eddie.

– Stanton, écartez-vous de Macey avant que je prononce les mots «procédure disciplinaire» et que vous découvriez ce qu'ils signifient.

Ben dut se résoudre à obéir, mais à contrecœur.

– C'est mieux. Maintenant, je veux que quelqu'un réponde à ma question. Que se passe-t-il ici?

– Stanton a essayé de me tuer, monsieur, se plaignit Simon Macey en se libérant du cyber-cocon. Il est cinglé. Juste parce qu'on l'a battu au contre la montre.

– Tu ne nous as pas battus, enragea Ben. Tu as triché. Ils ont triché, caporal.

– C'est vrai, Macey?

– Non, monsieur. Bien sûr que non, fit Macey avec sur le visage l'expression de l'innocence bafouée. On a simplement fait du mieux qu'on a pu, comme toujours. Stanton est juste un mauvais perdant.

– Avez-vous la moindre preuve d'une tricherie de la part de l'équipe Solo, Stanton?

Ben eut beaucoup de mal à le reconnaître, mais il n'avait pas le choix.

– Non, monsieur.

– Alors il n'y a rien à ajouter, je pense. Vous devez accepter le résultat de l'épreuve avec l'esprit de fair-play qui est de mise à l'école Deveraux.

Keene désigna Ben et Simon du doigt, d'un geste qui n'avait rien de courtois.

– Et maintenant, serrez-vous la main avant que je vous colle un rapport aux fesses.

– Mais, monsieur...

Ben pensa qu'il préférait encore qu'on lui coupe la main plutôt que de s'en servir pour serrer celle de Simon Macey.

– *Serrez... vous... la main*, répéta Keene, intransigeant.

Ben le fit. Il serra la main de Macey comme s'il voulait la réduire en poudre. La poigne de Simon était tout aussi impitoyable.

– Alors, Ben, on passe l'éponge, hein ? dit Simon avec un air moqueur, alors même que les yeux des deux garçons exprimaient tout leur ressentiment. Mais je me calmerais un peu si j'étais toi. Prends exemple sur Lori. C'est la seule personne fréquentable de l'équipe Bond.

C'est à ce moment que Jake comprit tout. Il vit le regard fugace que Lori posa sur Simon à l'énoncé de son nom. Il vit le rouge lui monter aux joues. Il la vit détourner les yeux. D'un air coupable.

– Jake, tu crois que Ben pourrait avoir raison ? lui chuchota Cally. Qu'il pourrait y avoir un traître dans l'équipe ? L'un d'entre nous ?

– Non, répondit-il en secouant la tête. Ne t'inquiète pas pour ça, Cally.

Mais il décida d'être vigilant.

– J'ai raison. Je sais que j'ai raison, dit Ben en tournant dans la pièce comme un tigre en cage. Quelqu'un a dû passer les données de notre univers virtuel à Macey, c'est forcé. Il n'y a pas d'autre explication.

Lori l'observait nerveusement. Si elle avait jamais envisagé de parler à Ben de la proposition de trêve de Simon, ce n'était désormais plus d'actualité.

– Mais qui aurait pu faire ça, Ben? demanda-t-elle, persuadée que personne ne l'aurait fait, et tout aussi sûre que Simon n'aurait jamais triché, même si elle gardait pour elle cette certitude. Et qu'aurait-il eu à y gagner? Nous voulons tous que notre équipe l'emporte.

– Pourquoi pas Daly? se demanda Ben tout haut. Ce serait une manière de se venger de moi pour... non. Poignarder ses coéquipiers dans le dos, ce n'est pas son style, même moi je dois le reconnaître.

– Bien sûr que ce n'est pas lui, dit Lori, sincèrement choquée. Comment peux-tu penser une chose pareille?

– Cally? continua Ben en passant en revue sur ses doigts ses coéquipiers. On a eu des prises de bec par le passé.

– Mais c'est réglé, non?

– Alors peut-être que Jennifer nous a entendus parler de son comportement, et qu'elle a voulu se venger. Ou peut-être Eddie... non, ça ne peut pas être Eddie non plus. Ça n'aurait pas de sens.

– Aucun n'a de sens, tenta-t-elle de le convaincre. Pourquoi pas moi alors? Pourquoi ne m'as-tu pas accusée, Ben? Je devrais être sur ta liste de suspects.

– Qu'est-ce que tu racontes?

Ben s'arrêta de faire les cent pas et regarda Lori avec une expression peinée.

– Je n'ai pas douté de toi une seule seconde, Lori, je n'y ai même pas pensé. Pourquoi crois-tu que c'est à toi que je parle de tout ça? J'ai confiance en toi. Totalement. Tu es ma petite amie.

Lori rougit, en espérant que Ben l'interpréterait comme une marque de plaisir et non de culpabilité.

– Je suis contente de te l'entendre dire, remarqua-t-elle, mais il y avait de la peine dans sa voix aussi.

Ben s'assit sur le lit à côté d'elle et lui prit la main.

– Écoute, je voulais te le dire depuis qu'on est rentrés du dôme, au sujet de l'autre jour, quand tu m'as appelé, tu sais ? Je suis désolé d'avoir été si brusque avec toi. Je n'aurais pas dû. Excuse-moi.

Elle n'entendait pas très souvent Ben s'excuser, ou reconnaître ses erreurs. Lori sentit le besoin de lui rendre la pareille, d'une certaine manière. Peut-être était-ce justement l'occasion de s'excuser, elle aussi, notamment d'avoir flirté avec Simon Macey. D'un autre côté... peut-être valait-il mieux trouver quelque chose d'un peu moins choquant.

– Il n'y a pas de problème, Ben. Tu étais en mission. C'est moi qui me suis conduite bêtement.

– On fait la paire alors, hein ? sourit Ben. Aussi bêtes l'un que l'autre. On devrait peut-être s'associer avec Eddie pour faire une partie à trois.

– Non, dit-elle. Je suis heureuse seule avec toi.

– Très bien. Alors c'est réciproque.

Il se pencha pour l'embrasser.

– Attends, Ben, l'arrêta-t-elle en posant un doigt sur ses lèvres. Avant qu'on s'y mette. Cette histoire avec l'équipe Solo. Promets-moi de laisser tomber. Et d'admettre qu'il n'y a pas de traître.

Ben soupira.

– En le pensant vraiment ?

Lori acquiesça.

Il poussa un nouveau soupir et haussa les épaules, signe qu'il admettait sa défaite.

– Tu as raison, Lori. Je me suis trompé. Il n'y a pas de traître. C'est impossible. Mais...

Cette fois, c'est Ben qui posa son doigt sur les lèvres de Lori.

– ... Macey s'est procuré nos données d'une façon ou d'une autre. J'y mettrais ma main à couper.

– Bien sûr qu'on n'a rien fait, dit Simon, l'air profondément choqué. Nous voulons battre l'équipe Bond, évidemment, même si tu en es membre, Lori, mais jamais nous ne tricherions pour ça. Ce serait contre l'éthique. Je veux dire, finalement, ça reviendrait à tricher avec nous-mêmes.

Lori sourit, soulagée.

– Je le savais, dit-elle, je voulais juste te l'entendre dire.

– Tu sais, moi, je te dis tout ce que tu veux savoir. Alors, Ben n'est pas ravi qu'on ait pris la tête de la compétition, hein ?

Lori n'eut pas l'air de vouloir répondre.

– C'est bon, la rassura aussitôt Simon. Quoi que tu dises, ça restera entre ces quatre murs.

Dans l'environnement de l'école, où l'intimité était un luxe, les salles de classe de Spy High étaient souvent plus précieuses aux étudiants lorsqu'elles étaient vides que pendant les cours.

– Lori ?

– Qu'est-ce que tu crois ? On peut mettre l'idée de trêve au rencard, au moins jusqu'à la fin de la prochaine épreuve.

Se remémorant le moment qu'elle venait de passer avec Ben, Lori détourna les yeux de Simon.

– Et je crois qu'on devrait aussi prendre un peu de distance, tous les deux.

– Quoi ? Alors qu'on commençait juste à se rapprocher ?

– Je suis la copine de Ben, Simon. Et je veux le rester.

– Tu en es sûre ? dit Simon en cherchant le regard de Lori. Regarde-moi dans les yeux, insista-t-il avec son plus beau sourire. Tu en es bien sûre ? Parce que tu ne semblais pas si sûre de toi quand nous nous sommes embrassés. Je veux dire, je n'ai pas l'impression de t'avoir forcé la main, non ? On en avait tous les deux envie. Peut-être que si on réessayait...

Lori fit non de la tête, mais avec moins de conviction qu'elle avait espéré exprimer.

– Non, Simon, je...

« L'équipe Bond est demandée dans la salle numéro 1, annoncèrent les haut-parleurs. L'équipe Bond est demandée dans la salle numéro 1. »

Les deux étudiants se turent, déconcertés.

– De quoi s'agit-il ? demanda Simon.

– Aucune idée, dit Lori en secouant la tête. Mais ça signifie que je dois partir et c'est sans doute aussi bien.

– Mes sentiments envers toi n'ont pas changé, Lori, dit Simon. Et je sais que tu ressens quelque chose pour moi, toi aussi. J'attendrai. Quand Ben gâchera tout, tu sauras où me trouver.

Lori recula vers la porte, mal à l'aise.

– Je dois y aller.

– À plus tard, Lori, lui lança Simon. À bientôt.

Lori quitta la salle de classe à pas précipités, la tête baissée. Elle vit les pieds de Jake juste à temps pour éviter de lui foncer dedans. Elle poussa un cri, moins parce qu'elle avait eu peur qu'ils se fassent mal que pour éviter qu'il regarde dans la salle et aperçoive Simon Macey.

– Jake, dit-elle d'une voix blanche. Que fais-tu là ?

– Je te cherchais, dit-il simplement. On nous attend pour une réunion apparemment.

– Je sais, dit Lori en attrapant le bras de Jake et en le tirant. Alors qu'est-ce que tu attends ?

Elle eut de la chance. Jake la suivit et ne regarda pas dans la mauvaise direction. *Pas la peine de paniquer*, pensa Lori.

Malheureusement pour elle, Jake n'avait pas eu besoin de voir Simon Macey. Ce qu'il avait entendu lui suffisait amplement.

C'était comme un de ces vieux films de guerre que son père avait l'habitude de regarder sur la chaîne des Classiques du XXe siècle, pensa Eddie. Des troupes paramilitaires survolaient l'arrière des lignes ennemies, en mission ultra-secrète, assis sur deux rangs de chaque côté de l'avion, les parachutes empaquetés sur les genoux, se lançant de sales regards en mâchant du chewing-gum d'un air pas commode. Seulement, à la place d'un avion, l'équipe Bond avait été embarquée à l'arrière d'un camion qui avait sans doute fait son temps dans la Seconde Guerre mondiale – totalement dénué de technologie moderne, pour empêcher Némésis de s'y infiltrer – et il n'y avait pas non plus de paras dans les environs. Ils allaient devoir faire avec ces types, le genre militaires peu commodes eux aussi, que Keene avait emmenés et installés en face des adolescents. Ils avaient d'ailleurs l'air si méchant qu'Eddie faisait de son mieux pour ne pas croiser leur regard, de crainte qu'ils le prennent mal et décident de rendre le voyage plus distrayant en le désossant avec leurs dents. Keene s'était lui aussi assis en face d'eux – ou du moins une statue de Keene assez ressemblante. L'homme avec une tête de belette, qu'on leur avait présenté comme l'interrogateur en chef, était assis dans la cabine en compagnie du chauffeur et du type qui était responsable de leur présence ici (où que soit ce « ici »), l'ex-agent du CHAOS nommé Corbin.

Eh oui, c'était à cause de ce Corbin qu'Eddie avait de fortes chances de se faire griller par un virus psychotique avant la fin de la journée.

– Bien sûr, leur avait annoncé Jonathan Deveraux sur l'écran de la salle numéro 1, vous n'êtes pas obligés d'y aller. Le caporal Keene et une section d'hommes triés sur le volet vous accompagneront, mais, nous ne vous le cachons pas, cette mission comporte un risque certain.

Et une gloire certaine : Eddie pouvait presque entendre Ben penser tout haut. Et une opportunité certaine de rattraper le fiasco de l'épreuve contre la montre.

– Nous comprenons, monsieur, dit Ben avec son plus beau ton de noble leader. Mais nous tenons à y aller.

– C'est exact, dit Jake en écho.

Eddie se demanda bien pourquoi, puis il se rappela le dôme, celui de Jake, et ces terribles ravages que tous étaient allés constater sur le terrain, à l'exception de Lori et lui, qu'on avait mis sur la touche.

– Nous sommes prêts, monsieur Deveraux, avait-il dit alors, même si personne ne semblait lui avoir prêté attention.

Et voilà le résultat. Eddie tenta de se repérer en regardant par la bâche entrouverte à l'arrière du camion. Il ne vit que des arbres dépenaillés bordant un chemin de terre ; ils étaient au milieu de nulle part.

– Pourquoi les méchants n'installent-ils jamais leurs quartiers généraux dans des endroits qu'on voit sur les brochures touristiques ? marmonna-t-il.

Le camion eut une secousse.

– Ou au moins avec des routes décentes. J'ai l'impression que je viens de faire douze rounds avec un masseur turc.

– Eddie, dit Cally d'un ton las. Est-ce que les mots « ferme » et « la » te disent quelque chose ?

– De plus en plus chaque jour, ronchonna Eddie, se demandant comment ce voyage pourrait être plus interminable – même une attaque de Némésis serait préférable à la perspective de mourir d'ennui.

Le camion prit un tournant. La statue de Keene s'anima soudain et se mit à proférer des ordres que seuls des hommes aux fortes dispositions militaires semblaient capables de pouvoir comprendre. Les soldats sautèrent en bas du camion comme un seul homme.

– Ils sont impatients d'assister au cocktail de bienvenue, fit remarquer Eddie.

– Venez, dit Ben à ses coéquipiers. On doit être arrivés.

Le panorama n'était pas très engageant. Le chemin s'interrompait brutalement au pied d'une sorte de grand tertre, comme une colline miniature.

– J'ai mal compris quelque chose ? se demanda Eddie. Le quartier général du CHAOS ne peut être vu qu'à travers des lunettes aux rayons X, ou un truc comme ça ?

– C'est bon, Corbin, le prévint l'interrogateur en chef, il n'y a pas de pièges.

Tournant légèrement la tête pour s'assurer de la présence de l'équipe Bond, Corbin descendit du camion et se dirigea vers un arbre proche. Il pressa sa paume contre le tronc et poussa. Tout d'un coup, le tertre parut s'ouvrir en deux, comme une bouche qui souriait – un sourire sombre et lourd de secrets. La terre et la végétation étaient plaquées sur de l'acier. Des portes apparurent. Et derrière les portes, un passage, comme l'entrée d'une crypte. Soudain, l'arrière du camion ne semblait plus si désagréable à Eddie.

La même pensée était apparemment venue à Corbin.

– C'est là, informa-t-il l'interrogateur en chef. J'ai fait ce que je devais faire. Vous pourrez trouver votre chemin sans problème. J'attendrai dans le camion.

L'interrogateur en chef rit doucement.

– Le camion reste où il est, Corbin. Pas vous. Je vous en prie, dit-il en désignant l'ouverture béante dans le tertre. Après vous.

Il n'était pas improbable que Corbin à cet instant ait pu tenter de s'enfuir, si les hommes de Keene n'avaient pas braqué leurs armes automatiques sur lui. Il eut un petit sourire sans joie.

– Si Némésis nous trouve, ils ne serviront à rien.

Il ne précisa pas s'il parlait des soldats ou des fusils.

Il se dirigea avec réticence vers le repaire du CHAOS.

– Je veux les gamins près de moi. Ils ont déjà vu de quoi cette chose est capable.

– Ne vous inquiétez pas, Corbin, promit Jake, sur un ton qui ressemblait plutôt à une menace. On ne vous lâchera pas d'une semelle. En souvenir du dôme 13.

Corbin ouvrit la voie dans le complexe, suivi par l'équipe Bond et l'interrogateur en chef, puis par Keene et ses hommes, dont deux étaient restés postés à l'entrée.

– C'est au cas où on aurait besoin de faire demi-tour en vitesse ? chuchota Lori à Ben.

Ils s'enfoncèrent dans les profondeurs de la terre et l'obscurité les engloutit.

Des lampes s'allumèrent sur les uniformes et les armes des soldats. Les civils portaient chacun la leur, à l'exception de Corbin qui semblait pouvoir se diriger sans avoir besoin de lumière. Les rayons blafards percèrent l'opacité, révélant la présence de carcasses métalliques, peut-être des machines, ou du matériel, et de renfoncements profonds, ténébreux, des fosses ou des grottes dans lesquelles n'importe quoi pouvait se tapir. Eddie se surprit à espérer que les soldats de Keene ne faisaient pas que jouer aux durs.

– Attendez ! s'écria Cally.

Tous s'arrêtèrent, en rang serré. La tension était presque palpable, entre les rais de lumière.

– Qu'y a-t-il ? demanda Keene.

– Je crois avoir vu quelque chose, juste là, quelque chose qui bougeait dans le noir, dit Cally, qui n'avait plus l'air aussi sûre d'elle. Je crois... On aurait dit un homme.

Corbin eut un rire nerveux.

– Il n'y a rien qui bouge ici à part nous, rien de vivant. C'est impossible. Némésis ne fait jamais de détail.

– Continuez à avancer, Corbin, ordonna Keene.

– Mais je l'ai vu, j'en suis sûre, murmura Cally, plus pour elle-même que pour Lori qui lui pressa le bras en signe d'encouragement. C'était un homme, pâle comme la mort.

– Plus vite on sera sortis d'ici, mieux ça vaudra, marmonna Jennifer.

Les ténèbres qui l'enveloppaient lui rappelaient trop ses cauchemars. Si les autres n'étaient pas là, Jake en particulier, elle serait probablement déjà en train de hurler de façon incontrôlable.

– On y est, dit Corbin, désignant le couloir qui débouchait sur une paroi obscure.

Les lampes éclairèrent un mur en acier et une porte.

– Le laboratoire principal est ici.

– Alors faites-nous entrer, s'impatienta l'interrogateur en chef.

– Je crains que ce soit impossible, dit Corbin en secouant la tête. L'identificateur d'empreintes digitales de la porte est activé. Il ne reconnaîtra pas les vôtres.

– Mais ce ne sont pas les nôtres qu'il lira.

– Oh ! non. Non.

Pour la première fois, Corbin semblait réellement terrorisé.

– Si je m'identifie et que Némésis surveille, nous sommes tous morts. Non. Si j'ouvre cette porte, je nous tue tous. Vous ne pouvez pas m'obliger à faire ça !

– Keene, dit l'interrogateur en chef, montrez à M. Corbin que si.

Keene fit un signe. Deux soldats empoignèrent Corbin et plaquèrent de force sa main gauche contre un panneau de contrôle incrusté dans le mur.

– Non ! Non ! Ne faites pas ça !

Les supplications désespérées, presque pleurnichardes, de l'homme se perdirent dans les ténèbres comme des cailloux jetés dans un lac, quelques ondulations de surface avant de disparaître.

– Nous sommes morts ! sanglota Corbin. Vous nous avez condamnés.

Les membres de l'équipe Bond se jetèrent des regards gênés. S'il s'était agi de n'importe qui d'autre que Corbin, ils auraient sans doute eu de la compassion pour lui.

La porte du laboratoire s'ouvrit.

– Tenez-le bien, ordonna l'interrogateur en chef à ses hommes. À présent, voyons voir ça, dit-il en pénétrant dans la pièce.

Malgré l'étreinte de ses gardiens, Corbin se tortilla pour faire face à l'équipe Bond.

– Vous, vous savez ce qui va se produire maintenant, hein ? dit-il, son regard terrifié passant de l'un à l'autre. Ça va être comme dans le train. Nous sommes faits comme des rats. Némésis le sait. Vous comprenez ? Némésis est ici.

Mais il ne semblait pas que ce soit le cas. Rien ni personne de vivant ne paraissait être entré dans ce laboratoire depuis longtemps. Il y avait là des rangées d'ordinateurs et de panneaux de contrôle, ainsi que des machines à la technologie complexe dont on ne pouvait que supputer la fonction d'origine. Mais il n'y avait pas la moindre étincelle d'activité électrique en elles. Elles avaient été brisées, détruites, réduites en pièces. Il n'en restait que des débris. On aurait dit qu'une bombe avait explosé au beau milieu du laboratoire. Seule une faible lueur pâle traînait encore dans l'air, fantomatique, mais suffisante pour qu'on puisse éteindre les lampes. Les membres de l'équipe Bond rangèrent les leurs dans leurs poches de ceinture.

– On dirait qu'il y a eu une nouba d'enfer ici, dit Eddie. Je ne regrette pas de ne pas avoir été convié.

Les autres semblaient être du même avis.

– Alors c'est ici que Némésis a été créée, dit l'interrogateur en chef, dont la voix parut plus ténue dans l'atmosphère du laboratoire. Voyons si nous pouvons dénicher quelque chose d'utile. Corbin, venez là. Je veux savoir s'il est possible de remettre une de ces machines en route.

Keene et ses hommes, à part les deux soldats qui avaient empoigné Corbin et semblaient à présent lui avoir été assignés de façon permanente, le suivant comme son ombre, se dispersèrent à travers le laboratoire pour l'explorer de fond en comble, fouillant le moindre recoin et passant dans les pièces adjacentes.

Corbin se tourna à nouveau vers l'équipe Bond, comme s'ils étaient en quelque sorte sa dernière chance.

– Écoutez, les gamins, leur dit-il vivement, je compte sur vous. Parlez-lui. Il ignore complètement ce qui va nous arriver si on reste ici. Ça ne sert à rien de s'éterniser. Némésis a tout détruit, vous voyez bien, non ?

– Tout ce que je vois, c'est un perdant qui nous aurait éliminés s'il l'avait pu, dit Jake, et qui a failli détruire ma famille. Nous sommes très touchés par vos malheurs, Corbin.

– Toi. La fille des ordinateurs, reprit-il en s'adressant à Cally. Tu sais de quoi je parle, hein ? Tu as stoppé Némésis une fois. Elle n'oubliera pas. Elle voudra sa revanche. Elle va te traquer.

– Ah ouais ? fit Cally en retournant à Corbin un regard glacial. Mais je crois bien que c'est toi qu'elle cherchera en premier.

Elle espéra que ses coéquipiers ne l'avaient pas vu frissonner. Elle se remémora les yeux digitaux, la haine téléchargée, les crocs cybernétiques, les sens informatiques qui *savaient* qui elle était.

– Monsieur? Monsieur! Par ici!

L'un des soldats avait trouvé quelque chose.

Ou plutôt quelqu'un.

Ils se précipitèrent à ses côtés et firent cercle autour d'une silhouette allongée derrière une console détruite. La blouse blanche de l'homme, tout comme ses autres vêtements, était déchirée en lambeaux. Des câbles s'étaient enroulés comme des serpents anorexiques autour de son torse et de ses membres; on aurait dit qu'eux seuls empêchaient que le corps tombe en morceaux. D'autres câbles formaient des nœuds coulants autour de son cou et s'enchevêtraient sur sa tête, sur son crâne.

– Qu'est-ce que ça signifie, Corbin? demanda l'interrogateur en chef.

Corbin sursauta, comme s'il avait une attaque.

– Je n'en sais rien. Je ne... C'est Patten, l'un des créateurs... du virus...

– C'était, corrigea l'interrogateur en s'agenouillant près du corps. Il n'est plus qu'un cadavre à présent. Mais qu'est-ce que c'est que ça?

Les doigts de l'interrogateur remontèrent le long des câbles enchevêtrés sur la tête de l'homme mort. Ils semblaient s'être enfoncés dans son crâne. Les cheveux avaient été arrachés en plusieurs endroits où la peau avait noirci, brûlé.

– Corbin, que s'est-il passé ici?

L'interrogateur en chef releva la tête, exposant sa pomme d'Adam qui bougea nerveusement dans sa gorge. Soudain, les bras de l'homme mort se tendirent comme des pistons, les mains mortes se refermèrent sur le cou du militaire comme un étau. Les doigts morts serrèrent, mus par une force plus puissante que la chair et le sang.

L'interrogateur en chef ne poserait plus jamais de questions.

– Reculez ! s'écria Ben en tirant Lori en arrière d'un coup sec.

Les armes firent feu sur le corps horriblement mobile. Mais pour un cadavre, les fusils laser n'avaient pas d'importance. Patten se leva.

– Qu'est-ce que je vous avais dit ? leur cria Corbin. Nous allons tous mourir !

– Restons groupés ! ordonna Ben à ses coéquipiers. Surveillez vos arrières.

– Pas de problème, répondit Jake, les dents serrées.

Un cri en provenance de l'une des autres salles, puis un second. Deux tirs de fusils laser. Pas plus. Deux soldats étaient partis dans cette pièce. Deux scientifiques morts en sortirent, hérissés de câbles comme Patten.

Des câbles qui étaient comme des ficelles de marionnettes.

– Némésis, dit Cally, estomaquée. Elle les contrôle.

– Si on filait ? suggéra Eddic.

Mais les ombres bougeaient à présent et se resserraient autour d'eux. Les scientifiques défunts du CHAOS tendaient leurs mains blafardes vers les intrus.

– On est encerclés ! cria quelqu'un.

– Une nouba d'enfer, geignit Eddie.

10

– Feu à volonté ! cria Keene. Liquidez-moi ça !

Les éclairs de laser crépitèrent en frappant les scientifiques zombies. Le tir de barrage les secoua, les fit chanceler comme s'ils étaient pris dans un vent violent. Il les ralentit, mais ne les arrêta pas. Les morts continuèrent à avancer.

– Formez un cercle ! ordonna Keene, puis, à l'équipe Bond : Restez derrière nous. Restez dans le cercle.

– Alors ça, c'est rassurant, grommela Eddie. Le dernier combat de Custer, ça vous dit quelque chose ? Personne n'aurait un autre plan à proposer ?

– Ne les laisse pas te choper, ça te va comme tactique ? répondit Jake.

Mais dans un espace clos, éviter les mains homicides des zombies était plus facile à dire qu'à faire. Le soldat qui se trouvait devant Jennifer n'avait apparemment pas l'habitude d'affronter un ennemi qui ne se comportait pas comme prévu et ne s'écroulait pas quand on lui tirait dessus. Il perdit son sang-froid et fit un pas en avant, rompant le cercle. Il était tellement concentré sur une seule cible qu'il en oubliait de s'occuper des autres. Alors les autres s'occupèrent de lui. Ils lui empoignèrent les bras, les tordirent comme si c'était de la pâte à modeler et mirent un terme aux cris de douleur et d'impuissance du soldat, pour toujours.

Jennifer banda ses muscles lorsqu'ils se tournèrent vers elle, mais ils semblèrent ne pas la remarquer, ne pas s'en préoccuper. Les zombies n'avaient d'yeux que pour un seul membre de l'équipe Bond, et commencèrent à converger vers elle : Cally.

– Ah non, pas question, monsieur le Mort !

Jake envoya une chaise de métal sur la tête du zombie. Sous la violence du coup, sa nuque se brisa et sa tête resta à se balancer mollement, à peine accrochée, les yeux tournés vers le sol. Les bras meurtriers s'agitèrent dans le vide.

À présent la bataille inégale faisait vraiment rage. Soldats et scientifiques luttaient au corps à corps, vie contre mort. Le cercle défensif avait été brisé. C'était la confusion la plus totale.

– L'équipe Bond, avec moi !

Keene tentait de protéger ses étudiants, mais Patten semblait avoir d'autres projets pour lui : il agrippa le caporal, ses mains dures comme l'acier cherchant son cou. Seul un rayon laser tiré à bout portant désarçonna suffisamment le zombie pour permettre à Keene d'échapper à son étreinte.

– Pensez au programme ninja, dit Ben à ses coéquipiers. Évitez et déviez les coups. Ne les laissez pas vous toucher.

– Ils ont un point faible, ajouta Lori. Ils sont lents, et nous sommes rapides. Profitons-en.

Des mains sans vie se frayèrent un chemin vers eux. Quelques prises d'arts martiaux les firent dégager. Lori avait raison. S'ils se déplaçaient assez rapidement, s'ils improvisaient, ils pourraient conserver un avantage temporaire. La mort semblait ralentir les réflexes des zombies. Les adolescents lancèrent une attaque, en se servant habilement de leurs jambes pour balayer leurs assaillants et les faire chuter maladroitement, et en jouant des poings et des avant-bras pour bloquer assaut après assaut. Mais ils se fatiguaient de plus en plus. Et, un par un, les soldats tombaient.

– Cally ! cria Jennifer pour se faire entendre au-dessus des cris et de la clameur. C'est après Cally qu'ils en ont !

– Je ne me savais pas si populaire, lança Cally tout en esquivant un coup et en ripostant, envoyant un nouvel adversaire au tapis. Mais je ne refuserais pas un petit coup de main.

L'équipe Bond serra les rangs.

– Némésis sait que c'est toi qui représentes la plus grande menace, comprit Jake. Tu as réussi à l'arrêter dans le train. Elle pense que tu peux refaire la même chose ici.

– Hé, Cally ! grogna Eddie tout en enchaînant une série de coups qui firent reculer un zombie. On l'espère aussi, dit-il tandis que des doigts blafards frôlaient son épaule. Et fais vite, hein ?

Corbin n'avait pas l'intention d'attendre. Sa peur s'était transformée en ruse, l'instinct de survie de l'animal traqué. Quand l'attention des deux soldats qui le gardaient se porta sur des urgences plus pressantes, comme sauver leur peau, il vit une occasion. Le flux et le reflux de la bataille libérèrent un court moment le chemin vers la porte du laboratoire. Il s'y précipita.

Il ne pensait pas vraiment y arriver, mais il y arriva. À présent, il reprenait l'avantage sur tous les autres, ses anciens camarades défunts, ces soldats stupides, ces gamins ennuyeux, tous.

– Corbin !

Le caporal criait après lui. Eh bien qu'il crie. Qu'il se serve de ses cordes vocales après tout, avant qu'on les lui arrache comme des bouts de ficelle. Corbin fit un signe d'adieu et sortit du laboratoire.

La porte ne pouvait être activée qu'avec ses empreintes digitales. Il le leur avait bien dit. Il les avait prévenus, aussi, mais ils l'avaient forcé à l'ouvrir. Personne n'eut besoin de le forcer à la refermer. Ils se retrouvaient tous enfermés à l'intérieur.

Et lui alors ? Il n'était pas encore en sécurité. Il y avait encore trop de coins sombres ici, où pouvaient se cacher des zombies. Pas encore sauvé.

Corbin se mit à courir, fonçant vers la sortie, le monde extérieur, la liberté. Il vit se profiler devant lui les portes ouvertes du complexe, la lumière au bout d'un tunnel particulièrement éprouvant.

À chaque mètre sur le chemin – à chacun de ses pas, de ses battements de cœur, de ses halètements –, Corbin craignait de voir des mains blafardes surgir de l'obscurité, l'agripper, le tordre et le mettre en pièces. Mais rien de tel ne se produisit. Némésis avait dû se focaliser sur ce qui se passait dans le laboratoire. Hurlant presque de soulagement, Corbin jaillit hors du complexe, dans la lumière rassurante du soleil et le chant allègre des oiseaux.

Corbin ne sembla pas remarquer l'absence des soldats que Keene avait postés à l'entrée du complexe. Il n'y avait de place dans son esprit paniqué que pour une seule idée.

Le camion. Parce que le camion était synonyme d'évasion. Le camion était synonyme de sécurité.

Il s'autocongratula. Le camion était là. Il s'installait à présent sur le siège du conducteur. Et voilà la clé, encore sur le contact, ce qui était commode. Mais il aurait pu s'en passer. Il aurait pu mettre en route le camion avec les fils du démarreur. Corbin était un ingénieur, un agent du CHAOS. Il pouvait tout faire. Il tourna la clé et le moteur du camion démarra du premier coup. Il pourrait peut-être même remettre sur pied l'organisation – mais cette fois, naturellement, ce serait lui le leader incontesté. Il était vivant, sain et sauf, et tout était encore possible.

Seulement, la prochaine fois, il n'y aurait pas de Némésis. Trop dangereux. Trop imprévisible. Il se demanda si ces étranges gamins, si habiles, étaient déjà morts. Non, la prochaine fois, il n'y aurait pas d'erreur, pas de détails qui clochent.

Comme ces soldats à l'entrée. Corbin en prit soudain conscience. Où étaient-ils passés ?

Peut-être dans le camion. Peut-être que c'étaient eux qu'il entendait bouger derrière lui.

La sueur sur sa peau se transforma soudain en glace.

Ou peut-être pas.

Corbin frissonna. Il n'osait pas regarder derrière lui.

Jusqu'à ce qu'une paire de mains mortes, blafardes, saisissent sa tête et la forcent à se retourner. Sur cent quatre-vingts degrés.

Ils n'allaient plus tenir très longtemps. Cally le savait très bien, les autres aussi, ainsi que les soldats qui étaient en train de se faire déborder par des vagues d'assaillants apparemment invincibles avec une régularité croissante. Le groupe des survivants recula et se retrouva dos au mur – au propre comme au figuré. Même les zombies semblaient sentir que leur victoire était inéluctable.

Si seulement ils pouvaient interrompre le contrôle de Némésis sur les morts vivants, pensa Cally, le brouiller d'une façon ou d'une autre. Mais ce « d'une façon ou d'une autre » ne suffisait pas. Si seulement elle avait le temps de réfléchir à un plan, de trouver une idée. Hélas ! le temps jouait lui aussi contre eux.

– Cally ! cria quelqu'un.

Derrière elle. Elle se retourna brusquement mais des mains froides comme de la bidoche étreignaient déjà son cou. C'était Patten, qui la plaqua à terre. Impossible d'échapper à son emprise.

– À l'aide ! réussit-elle à hoqueter d'une voix étranglée. Quelqu'un... aidez...

Patten était en train de lui comprimer la gorge comme si c'était un tube de dentifrice. Elle crut entendre sa nuque commencer à craquer.

– Quel... qu'un...

Le monde devenait tout noir.

Alors on lui délivra un message d'outre-tombe. C'était la voix de Patten, mais les mots de quelqu'un d'autre :

– Formes... organiques... impures...

Les yeux du scientifique parurent un instant briller d'un plaisir sadique – ces yeux fixes de zombie qui n'étaient plus qu'à quelques centimètres des siens. Une lueur jaune clignotait et pulsait comme un battement de cœur. Elle n'était pas vraiment *dans* ses yeux, mais *derrière* ses yeux. *Derrière.*

Cally n'avait pas le droit de mourir maintenant. Les autres comptaient sur elle.

Elle s'accrocha pour rester consciente comme un homme qui se noie s'accroche à son gilet de sauvetage. Keene – était-ce bien Keene ? – était en train de s'acharner sur le crâne de Patten, en faisant voler des éclats comme s'il tirait sur un tronc d'arbre, mais en vain.

– Les yeux..., croassa Cally. Derrière les yeux... tirez...

Keene comprit tout de suite. Il y eut un éclair de lumière aveuglant et un bruit assourdissant, comme un coup de tonnerre. Patten fit un bond en arrière, sa capacité visuelle réduite de moitié. Il relâcha sa prise et Cally inspira une grande goulée d'air. À travers le trou où se trouvait auparavant le globe oculaire du zombie, elle aperçut de la cervelle et des circuits mêlés, désactivés. Il était mort une seconde fois.

– Des puces électroniques, hoqueta Cally. Il les contrôle comme ça.

– Les yeux ! cria Keene, soudain inspiré tel Archimède. Visez les yeux !

Comme s'ils avaient compris les mots du caporal – et peut-être était-ce le cas –, les copains zombies de Patten s'immobilisèrent un instant, semblant presque se regarder l'un l'autre pour chercher conseil. Les soldats survivants, eux, ne firent pas de pause, même un instant. Ils visèrent. Ils tirèrent.

Les yeux jaillirent de leurs orbites comme des bouchons de champagne.

Les zombies s'écroulèrent, comme s'ils avaient soudain été saisis par le désir irrépressible d'être enterrés, en prenant tout d'un coup conscience que les morts n'avaient pas le droit de s'attaquer ainsi aux vivants. Comme si les ficelles qui retenaient les marionnettes avaient soudain été coupées.

Il y eut un cri de soulagement de la part des hommes toujours debout. Le vent avait tourné.

– Jolis tirs, les gars, admira Eddie. On dirait bien que vous avez gagné toute la rangée de peluches.

– Cally, tu vas bien ?

Jennifer et Jake s'étaient agenouillés près d'elle et l'aidèrent à s'asseoir.

– J'ai connu... mieux, réussit-elle à prononcer d'une voix rauque.

– Vous vous en êtes bien sortie, Cross, la félicita Keene. Vous tous également. Je crois qu'on a la situation bien en main à présent.

Le sol du laboratoire était jonché des cadavres des zombies, sans compter ceux de l'interrogateur en chef et de la plupart des hommes de Keene.

– Hé, Corbin a filé, se rendit compte Ben. Et il nous a enfermés ici.

– Ne vous faites pas de bile, Stanton, dit Keene. Il n'ira pas bien loin.

– Mais nous non plus, caporal, insista Ben. On a besoin de ses empreintes digitales pour ouvrir la porte.

– Ben... a... raison, haleta Cally, qui avait l'impression que sa voix passait dans une essoreuse. Mais les autres... scientifiques... doivent aussi... avoir accès.

– Les autres scientifiques ?

Cally indiqua de la tête les monceaux de corps en blouse blanche.

– Faites... votre choix.

C'est une équipe Bond épuisée et démoralisée qui finit par rentrer avec le caporal Keene à Spy High. Ils avaient trouvé le cadavre de Corbin dans le camion, ainsi que deux autres, qui avaient cependant dû regarder un laser droit dans les yeux pour se rappeler leur condition. Mais toute cette expédition malheureuse dans le dernier des complexes du CHAOS n'avait permis de recueillir aucune nouvelle information significative, ni de découvrir la moindre piste qui permettrait de localiser et d'éliminer Némésis. Elle avait seulement coûté des vies.

– Ce sont les risques du métier, leur avait dit Keene lors du voyage de retour. Réjouissez-vous de vous en être tirés.

Eddie se demanda pourquoi Keene ne prenait pas en charge des cours de motivation.

– Une bonne douche et au lit, grogna Ben alors qu'ils se dirigeaient tout droit vers leurs chambres. Dommage qu'on ne puisse pas faire les deux à la fois.

– J'irais bien au foyer boire un verre avant, dit Jennifer. Quelqu'un veut se joindre à moi ? Jake ? demanda-t-elle avec une pointe d'espoir dans la voix.

Jake eut l'air d'hésiter.

– Non, désolé, Jen. Je crois que je vais aller me pieuter moi aussi.

– Oh.

Jennifer fit de son mieux pour dissimuler sa déception, mais se dit que si Jake l'appréciait vraiment autant que Cally le prétendait, il aurait sans doute dit oui afin de passer un peu de temps avec elle.

– OK, ça ne fait rien.

Les autres n'avaient pas l'air intéressé non plus.

– J'irai toute seule alors.

– Nan, dis pas ça. Je vais te tenir compagnie, Jen, se proposa Eddie.

– Super. Merci, Eddie.

Jennifer vit Cally lever les sourcils en signe de compassion. Peut-être était-ce la fatigue ou le stress qui brouillait sa vue, mais juste au moment où Eddie et elle quittèrent les autres pour se rendre au foyer, Jennifer crut voir Jake se pencher vers Lori, poser la main sur son épaule et lui murmurer doucement quelque chose à l'oreille. Mais non, elle avait dû se faire des idées. Quel secret Jake aurait-il à partager avec Lori ?

Lori se posa exactement la même question, après avoir menti à Ben et Cally en leur disant que Jake et elle allaient boire un verre avec les autres, finalement. Ils n'allèrent pas jusqu'au foyer. Les bibliothèques de Deveraux étaient tout aussi adaptées pour dissimuler des confrontations que pour cacher des ascenseurs.

– Alors, monsieur Secret et Urgent ? dit Lori qui voyait bien que quelque chose gênait Jake. De quoi s'agit-il ? Ça ne te ressemble pas, Jake.

– Frayer avec l'ennemi ne te ressemble pas non plus, Lori, et pourtant c'est ce qui se passe, n'est-ce pas ?

– Quoi ? Que veux-tu dire ?

Pendant quelques secondes, face au silence buté de Jake, Lori ne comprit vraiment pas de quoi il s'agissait. Sa définition de l'ennemi prit un certain temps pour s'élargir au point d'englober Simon Macey. Lorsque ce fut le cas, elle sut exactement de quoi Jake voulait parler. Elle était dans de sales draps.

– Je ne comprends pas, mentit-elle maladroitement. Je ferais peut-être mieux de...

Lori se dirigea vers la porte.

– Simon Macey, dit Jake, la stoppant net, comme si ces simples mots lui avaient jeté un sort. Dis-moi ce qu'il y a entre toi et Simon Macey.

– Jake? répondit Lori en se retournant à demi, mais sans aller jusqu'à le regarder dans les yeux. Il n'y a rien entre Simon Macey et moi. Comment peux-tu penser une chose pareille?

– Je n'en sais rien, Lori, dit simplement Jake, mais d'abord j'ai pensé que Ben avait de nouveau pété un plomb avec son délire au sujet d'un traître dans l'équipe, tu sais, juste comme une sorte de prétexte pour ne pas s'avouer que pour une fois on avait été battus ; et là je m'attendais plus ou moins à ce que notre noble leader m'accuse d'être en cheville avec Macey, et alors qu'est-ce que je découvre? dit-il d'une voix qui devenait plus froide, plus cassante : Il y a bien un traître, et ce n'est pas moi. C'est toi, Lori.

– Je n'ai pas trahi, Jake, répliqua Lori, ses yeux bleus brûlant de déni. Tu te trompes.

– Lori, soupira Jake. J'ai vu ta réaction après l'épreuve contre la montre. Et je t'ai entendue discuter avec Macey dans la salle de classe avant la réunion avec Grant.

Lori secoua la tête.

– Je ne vois pas de quoi tu parles.

– Lori, je n'ai pas assez d'imagination pour inventer tout ça, insista Jake. J'ai entendu ce que vous vous êtes dit, tous les deux. Lui qu'il ressentait toujours la même chose pour toi. Et toi que tu ressentais aussi quelque chose pour lui. Alors ose me dire maintenant que c'est moi qui invente des histoires.

– Tu inventes des histoires.

Elle parlait à présent au plancher.

– Alors tu n'as pas vu Simon Macey en secret ? Tu ne lui as pas donné d'informations sur notre programme virtuel, ni à personne d'autre ?

– Non, non et non. Tu te trompes, Jake.

Mais son langage corporel disait oui.

– Je crois qu'on ferait mieux d'en rester là.

– J'aurais pu aller directement voir Ben, reprit Jake, tentant une autre approche. J'aurais pu lui dire sans t'en parler, Lori. Est-ce que ce n'est pas une preuve ? Je veux seulement t'aider. Car Ben a au moins raison sur un point. On ne peut pas faire confiance à Simon Macey.

On peut, pensa Lori. *Si seulement les autres pouvaient comprendre ça.*

– Je n'ai pas besoin d'aide, Jake.

Il n'avait pas réussi à la convaincre. Elle était déjà devant la porte.

– Je peux encore le faire, l'avertit-il. Je peux aller voir Ben et tout lui dire. C'est ce que tu souhaites, Lori ?

– Jake, dit-elle, fais ce que tu veux.

Elle referma la porte derrière elle.

Alors, pourquoi ne le faisait-il pas ? Aller voir Ben. Ce serait sans aucun doute un sale coup pour l'ego de Stanton, d'apprendre que la petite amie dont il vantait sans arrêt la loyauté et les talents auprès de Jake était en réalité le traître et que Simon Macey l'avait dans sa poche – et peut-être même ailleurs. Ce serait une belle revanche sur toutes les insultes de Ben.

Mais la revanche n'aiderait pas l'équipe, n'améliorerait pas son moral. La revanche n'engendrait que du ressentiment. Il ne pouvait pas en parler à Ben, ni à quiconque, même s'il était évident que Lori mentait. Cependant Jake n'arrivait pas vraiment à croire non plus que Lori les trahissait froidement. Pas Lori. Elle était trop... il chercha le mot – bonne.

Pourtant, il ne pouvait pas laisser les choses en rester là. Il fallait qu'il fasse quelque chose.

Jake soupira. Son lit allait encore devoir l'attendre un bon moment.

Eddie et Ben dormaient à poings fermés. Il aurait au moins fallu que Némésis débarque en défonçant le mur pour les faire réagir – et encore, ils se seraient sans doute contentés de se retourner sur l'autre côté. Malgré tout, Jake appliqua la collapeau aussi silencieusement que possible et ouvrit la fenêtre jusqu'à son maximum.

Il ne voulait pas donner un coup de pied dans la vitre en sortant.

La paroi extérieure de l'école Deveraux n'était pas aussi penchée que le Mur, et elle remuait moins que le train-lumière : ramper dessus serait simple comme bonjour. Jake prit cependant garde à rester très concentré. Tomber d'une hauteur de trois étages dans un massif d'arbustes était une manière plutôt embarrassante de se casser le cou.

Il rampa le long du mur en évitant les abords des fenêtres, pour rester hors de vue de quiconque serait encore éveillé et aurait envie de jeter un œil pour admirer le paysage nocturne. Des amoureux, par exemple. Ou des conspirateurs.

Jake savait où était située la chambre de Simon Macey. Il compta le nombre de fenêtres qui la séparaient de la sienne. Il ne voulait pas espionner la mauvaise personne. Lorsqu'il activa son micro-ceinture et inséra son oreillette, il n'était même plus certain d'avoir envie d'écouter Macey en cachette. Ce micro-ceinture pouvait enregistrer un battement de cœur à travers un mètre de béton. Il lui retransmit bien trop fort à son goût les bruits des embrassades baveuses de Simon Macey et Sonia Dark. Enfin, se dit Jake, ça aurait pu être pire : au moins, il n'avait pas à regarder.

Jake fit passer prudemment son poids sur l'autre côté et aurait poussé un soupir s'il n'avait craint que le moindre bruit, accroché comme il l'était juste devant la fenêtre de Macey, n'éveille son attention. Il perdait son temps. Il avait espéré, si la chambre avait été vide, pouvoir s'introduire à l'intérieur et trouver un indice des liens entre Macey et Lori – une preuve à laquelle il aurait pu la confronter. Dans le cas contraire, il avait pensé pouvoir surprendre Macey, se pensant à l'abri des oreilles indiscrètes, en train de dire quelque chose d'incriminant. Mais aucune de ces deux possibilités ne semblait marcher, et s'il devait écouter encore longtemps Simon et Sonia jouer à lèche-amygdales, il allait finir par rendre son dîner.

Ils firent enfin une pause. *Définitive*, pria Jake. Macey était en train de rire – le rire d'un escroc qui vient d'arnaquer une vieille dame.

– Qu'est-ce qu'il y a de si drôle ? demanda Sonia Dark.

Jake allait poser la question.

– Je repense juste à la tête de Stanton. C'était génial. Si on avait pu faire une photo, je l'aurais encadrée.

– Vraiment ? dit Sonia Dark qui n'avait pas l'air de partager son enthousiasme. Parfois, Simon, je me demande si ta rivalité avec Ben Stanton ne prend pas le pas sur tout le reste... moi y comprise.

– Mais non, tu te trompes, chérie.

Pas de bisous, pria Jake en silence. *S'il vous plaît, pas de bisous.*

– Vraiment ? répéta Sonia, pas très convaincue. Eh bien moi je pense que tu t'intéresses un peu trop à Lori Angel.

Peut-être qu'après tout la petite sortie de monte-en-l'air de Jake n'allait pas être un fiasco.

– Je connais tes raisons, mais j'ai l'impression que tu commences à te plaire en sa compagnie.

– Oui, admit Simon, tant qu'elle nous est utile. Tu ne vas pas me reprocher d'avoir obtenu son mot de passe avant l'épreuve contre la montre ? Un peu de révision en douce ne nous a pas fait de mal, non ? Et ce n'est pas fini : je vais pouvoir lui soutirer beaucoup plus d'informations.

– C'est la partie « soutirer » qui m'inquiète.

– Ça ne devrait pas.

Un bruit de baiser mouillé. Jake se demanda s'il en avait entendu assez.

– Nous devons tous faire des sacrifices pour l'équipe, et le mien, c'est d'avoir à supporter une bimbo sans cervelle comme Lori. Mais ne t'inquiète pas. Ça ne durera que jusqu'à l'épreuve finale ; après, je pense que quelqu'un ferait bien d'aller raconter à Stanton ce que traficotait exactement sa chère petite poupée blonde, tu ne crois pas ? Cela bien sûr dans un bon esprit d'unité et de camaraderie.

Il rit de plus belle. Finalement, Jake préférait encore le bécotage.

– Alors vraiment tu ne l'aimes pas, Simon ?

– Ce n'est pas ce que je viens de dire ? D'accord, je te le répète.

Il valait sans doute mieux que Simon Macey ne puisse pas voir l'expression de Jake lorsqu'il répéta son appréciation de Lori. Il n'en aurait pas dormi de la nuit. Une colère froide s'était cristallisée en Jake, comme un iceberg. Macey était vraiment un pourri, pire encore qu'il le croyait. Lori se faisait manipuler, sans même s'en rendre compte. Il ne pouvait évidemment pas en parler à Ben. C'était à lui, et à lui seul, de faire quelque chose pour remédier à cette situation.

Restait à savoir quoi.

11

C'était aujourd'hui ou jamais. Elle ne pouvait pas attendre plus longtemps. Il fallait qu'elle soit sûre. Après tout, quel conseil lui avait donné Cally? *Tout ce que tu as à faire, c'est d'aller le voir et de lui dire « salut »... Parle-lui. Dis-lui ce que tu ressens.* Ce conseil, Jennifer se sentait finalement prête à le suivre. Les cauchemars hantaient encore son sommeil, rôdaient autour de ses nuits, mais ils étaient moins douloureux à présent, comme c'était toujours le cas une fois que l'anniversaire était passé, jusqu'à l'année suivante. Elle était plus lucide et capable de se concentrer sur d'autres rêves – de penser au futur plutôt qu'au passé. Elle, Jake et les autres avaient survécu à un second affrontement avec Némésis. On leur avait accordé quelques jours de repos pour se remettre de l'épreuve qu'ils avaient subie dans le complexe du CHAOS. Le timing était donc parfait. Elle n'aurait pas de meilleure occasion.

Aujourd'hui ou jamais.

Lori et Cally avaient quitté la chambre avant que Jennifer ait rassemblé suffisamment de courage pour suivre leur exemple. Elle n'avait pas envie d'un petit déjeuner. Elle n'avait pas envie de grand-chose en fait, tant qu'elle ne saurait pas une bonne fois pour toutes si l'équation Jake + Jennifer avait un avenir dans son horizon émotionnel. Elle se dirigea droit vers la chambre des garçons et frappa à la porte en espérant que Jake lui répondrait. *Il répondrait et elle lui dirait « salut », il comprendrait et il lui dirait « salut » à son tour, et ils seraient tous les deux et se mettraient à parler...*

– Lori, c'est toi ?

La porte s'ouvrit.

– Jennifer ?

– Ben ?

Encore en pyjama.

Les deux membres de l'équipe Bond – tous deux déçus et légèrement surpris – se dévisagèrent.

– Oh ! désolé, j'attendais Lori, dit Ben avec un sourire penaud. On s'était dit qu'on... passerait un moment ensemble. Enfin, tous les deux quoi. Elle est encore... ?

Il désigna vaguement du pouce la direction de l'aile réservée aux filles.

– Je ne pense pas, non, dit Jennifer. Je ne l'ai pas vue.

Pourquoi ce simple constat lui parut-il soudain suspicieux ?

– Oh, bon, dit Ben qui semblait ne rien avoir remarqué. Et tu... ?

– Jake, annonça Jennifer. Je peux voir Jake ?

– Pourquoi ça ?

Était-ce un sourire entendu ? Ben la taquinait-elle ?

– Quoi, il faut remplir un formulaire maintenant pour être autorisée à voir un coéquipier ?

S'il la taquinait vraiment, il allait bientôt devoir le faire étalé par terre.

– Non, dit Ben, sur un ton surpris, mais il va te falloir de sacrés bons yeux pour le dénicher ici. Jake n'est pas là. Il n'y a que moi.

– Oh.

N'abandonne pas, se motiva Jennifer. *C'est aujourd'hui ou jamais.*

– Et tu sais où il... ?

Ben secoua la tête.

– Désolé, je n'en ai aucune idée. Je te proposerai bien de venir l'attendre à l'intérieur, mais je dois m'habiller avant que Lori arrive.

– Bien sûr, dit Jennifer. Il vaut mieux ne pas la faire attendre.

Donc ce n'était pas un bon début. Elle erra dans les couloirs. Jake n'était pas dans le coin, et Lori non plus, si cela voulait dire quelque chose. Ils étaient peut-être en train de prendre leur petit déjeuner. Séparément, espérait-elle, ou à la même table mais seulement parce qu'ils appartenaient à la même équipe et pas parce qu'ils se tenaient par la main ou quelque chose dans ce goût-là.

Elle avait vu juste. Ils ne se tenaient pas la main. Mais ils étaient bien ensemble. Retenant soudain sa respiration, Jennifer les aperçut par la fenêtre – Lori et Jake, dans le parc devant l'école.

Il lui parlait avec une expression grave, pressante, fervente. Ses mains semblaient vouloir la toucher. Elle secouait la tête, essayait de l'ignorer, regardait ailleurs. Jusqu'à ce qu'il dise autre chose et là, il y eut un moment de silence total. Jusqu'à ce qu'il finisse par poser les mains sur ses épaules, tendrement. Jusqu'à ce qu'elle acquiesce, l'accepte, les yeux pleins de larmes. Jusqu'à ce qu'ils partent ensemble et que Jennifer ne puisse pas voir où ils allaient.

La scène s'était déroulée comme un numéro de mime, ou un film muet, enfin un spectacle qui ne nécessite aucun mot pour faire sens. Et Jennifer pouvait l'interpréter. C'était la dernière fois qu'elle suivrait les conseils de Cally. Ce n'était pas aujourd'hui, c'était jamais. Le seul jour qui avait vraiment compté dans la vie de Jennifer remontait à des années, et ses effets se faisaient toujours sentir sur elle. En se focalisant sur Jake, elle avait essayé de s'en distraire, de les fuir. Mais cela n'avait été qu'une déception de plus.

Elle irait toute seule à l'hologym. Programme de combat. Entraînement. Elle se battrait.

De toute façon, elle n'avait pas besoin de Jake.

Jennifer Chen n'avait besoin de personne.

Eddie enfonça ses orteils dans le sable blanc, s'étira de tout son long et se prélassa sous l'aveuglant soleil des Caraïbes.

– Ça, c'est la vie, pas vrai, Cally ?

Il se tourna sur le côté et fit un clin d'œil à Cally qui était allongée sur la plage tout près de lui. Elle ne le contredit pas. Eddie laissa son regard dériver sur la baie bordée de palmiers parfaitement alignés, sur les eaux tentatrices de la mer étale qui étincelaient quelques mètres devant eux ; il n'y avait personne en vue. Cally et lui avaient ce paradis pour eux seuls.

– C'est aussi bien que la vraie, hein ? Le seul problème, c'est qu'on ne peut pas garder son bronzage en revenant dans la réalité.

– Je peux m'en passer, dit Cally sans ouvrir les yeux.

– Tu as l'air d'aller mieux aujourd'hui, fit remarquer Eddie. Ta gorge semble être rétablie, non ?

– Oui, on dirait, répondit Cally. Mais si tu continues à parler, je n'en dirai pas autant de mes oreilles.

– Désolé, dit Eddie en se retournant sur le dos, plissant les yeux face au soleil malgré ses lunettes noires. Paix et tranquillité, repos et relaxation... le programme de détente est fait pour ça. J'ai pensé que tu apprécierais. C'est pour ça que je t'ai proposé de te joindre à moi.

– J'apprécie, Eddie. Vraiment.

– En fait...

Cette fois Eddie s'assit franchement, se pencha en avant et jeta un regard un peu embarrassé en direction de Cally.

– ... pour être honnête, ce n'était pas la seule raison.

Cally ouvrit les yeux.

– Si tu as en tête je ne sais quel truc grivois, Eddie, *oublie* ça tout de suite. Et pour commencer, pas de baignade à poil.

– Oh ! non, Cally, se défendit Eddie, qui avait l'air choqué. Je n'y pensais pas. Mais... on a passé un bon moment à Noël, non ? Enfin, moi en tout cas.

– Je sais, Eddie, murmura Cally. Mais Noël, c'était exceptionnel. Pour fêter l'événement. Il n'y avait rien de sérieux. Je croyais qu'on était d'accord là-dessus. Je t'aime bien comme ami, mais...

– Laisse tomber le « mais », dit Eddie. Ami, ça me va... Ce que je voulais vraiment faire ce matin, c'est te parler. D'ami à amie.

– Ah oui ?

Intriguée, Cally s'assit à son tour. D'abord Jennifer, ensuite Eddie. Sa carrière de responsable du courrier du cœur dans l'équipe Bond commençait fort.

– OK, tu as toute mon attention, Eddie. Parle.

– Est-ce que tu crois que je fais le poids dans cette équipe ?

Cally réfléchit un moment.

– Ça dépend. Combien tu pèses ?

– Non, je suis sérieux, dit Eddie qui haussa les épaules, défaitiste : C'est exactement ce que je disais. Tu ne me prends pas au sérieux ; personne ne le fait. Pourquoi tout le monde me traite comme l'idiot de l'équipe ?

– Parce que tu joues toujours ce rôle ? suggéra Cally. C'est ta manière de te comporter avec les gens, Eddie, tu dois t'en rendre compte. Plutôt comme un comique que comme un agent secret.

– Alors tu penses que je ne fais pas le poids.

– Je n'ai pas dit ça. C'est juste ta personnalité.

– Génial. C'est juste ma personnalité, dit Eddie en soupirant tristement. Tu sais, quand Deveraux nous a sélectionnés, j'étais sûr que j'allais faire mes preuves. Que je serais l'espion qui souriait. Depuis, tout ce que j'ai réussi à faire, c'est arriver bon dernier dans tous les cours. J'ai fait tapisserie dans le combat contre Frankenstein et je suis resté derrière à me tourner les pouces quand vous êtes partis au dôme de Jake. On dirait bien que j'ai le sourire, mais pas l'espion.

– Tu n'es pas un peu trop dur envers toi-même, Eddie?

Cally enleva ses lunettes de soleil et regarda Eddie avec compassion.

– Écoute, le trimestre dernier, je n'avais pas l'impression que je pourrais m'intégrer à Spy High. Et Ben me le faisait bien sentir, tu te souviens? Mais il faut garder espoir, en soi-même, en ses capacités. Avoir des doutes, c'est normal. Ce qui est important, c'est la manière dont on les dépasse. Si mon avis t'importe, moi je t'aime bien comme tu es. Je ne voudrais pas que tu changes.

– Ah bon? dit Eddie, qui semblait un peu retrouver le moral. Même pas un peu plus de muscle sur mes biceps?

Cally sourit.

– Je crois que d'autres membres apportent suffisamment de gravité dans l'équipe. On a besoin d'avoir un joker dans notre jeu, quelqu'un qui nous aide à garder la tête froide quand le monde entier semble s'écrouler. C'est ton boulot, Eddie, et personne d'autre n'y arrive aussi bien que toi.

– Ah ! tu dis ça juste pour me faire plaisir.

La fausse modestie à présent. Eddie retrouvait rapidement son humeur normale. Cally pensa lui donner un dernier encouragement.

– Non, c'est vrai. Et rien ne t'oblige à me croire, Eddie, mais en cas de danger, je ne suis jamais aussi rassurée que si c'est toi qui couvres mes arrières.

– Vraiment ? Parce qu'en ce qui me concerne, je trouve plutôt cool de t'avoir devant moi. Peut-être qu'on devrait s'entraîner à prendre cette position, Cally, parce que ici, on ne sait jamais quand on peut avoir besoin d'entrer en action.

– Oh là, du calme ! dit Cally en riant. Je crois qu'on est en sécurité ici, à moins qu'une paire de ninjas s'échappent du programme de combat.

Au loin, sur la ligne d'horizon azurée, il y eut comme un tremblement et un grondement se fit entendre.

– On dirait qu'ils t'ont entendue, Cally.

– C'est seulement un orage, Eddie.

Le ciel s'assombrit soudain comme si une marée noire approchait, teintant et polluant l'atmosphère d'un noir d'encre.

– Ouais, eh bien ça m'ennuie un peu, tu vois, Cally, dit Eddie en enlevant ses lunettes de soleil et en les posant sur le sable. Parce que ce programme n'est pas censé comporter d'orages, pas même une goutte de pluie.

Il se mit debout et scruta avec inquiétude la mer qui n'était plus si étale, ni si tranquille.

– Alors qu'est-ce que c'est ? demanda Cally en le rejoignant et en glissant sa main dans la sienne.

Les ténèbres enflaient et s'approchaient d'eux.

– Ce sont les ennuis qui arrivent, lâcha Eddie.

« Nous devons tous faire des sacrifices pour l'équipe, et le mien, c'est d'avoir à supporter une bimbo sans cervelle comme Lori. »

Lori tressaillit et son visage devint couleur de cendres. Chaque mot était comme une gifle. La voix de Simon avait beau être étouffée par l'enregistrement qui sortait du micro-ceinture de Jake, c'était comme s'il lui avait crié dans l'oreille.

Bimbo sans cervelle...

Le pire, c'était qu'il avait raison. Elle avait été si facile à manipuler, à duper. Le sourire. Tout était faux. Lori courba la tête, sous le coup de la honte et de l'humiliation.

« ... ne t'inquiète pas. Ça ne durera que jusqu'à l'épreuve finale ; après... »

– Jake, je t'en prie, dit-elle docilement, battue. Ça suffit.

Jake éteignit l'enregistreur et le rangea dans sa ceinture.

– Dis-moi tout, Lori, demanda-t-il. Comment c'est arrivé ?

Lori poussa un long soupir. Elle tourna la tête vers la fenêtre, le regard lointain, perdu.

– Simon m'a approchée quand vous êtes partis au dôme, avoua-t-elle. Il était charmant, plein d'attentions. Il m'a flattée, je me suis sentie importante, et j'ai toujours eu besoin de ça, Jake. J'avais besoin qu'on m'apprécie, surtout après que Ben m'avait laissée derrière comme ça, en emmenant Jennifer... Je crois que je doutais de moi. J'ai baissé mes défenses. Il a commencé par me dire qu'il voulait que les deux équipes fassent la paix. Et je l'ai cru. J'ai cru tout ce qu'il m'a raconté, Jake, même si Ben m'avait prévenu de me méfier de lui. Quelle idiote, hein ? Tu dois me trouver ridicule...

– Je ne ris pas, Lori, et je ne te juge pas non plus. Vouloir voir le bon côté chez les gens, c'est toujours mieux que de voir le mauvais.

Lori eut un sourire amer.

– Mieux pour qui ? De toute manière, tu as trouvé le traître, Jake. Ben avait raison sur toute la ligne. À cause de moi, l'équipe va sans doute devoir faire une croix sur le Bouclier de Sherlock et moi, je vais sûrement devoir en faire une sur mon petit ami. Ben ne me le pardonnera jamais.

Jake lança à Lori un drôle de regard, puis dit franchement :

– Ben n'a pas à le savoir.

– Que veux-tu dire ? Tu ne vas pas tout lui raconter ?

– Pourquoi le ferai-je ? Qu'est-ce que ça apporterait de bon ?

– Mais Simon ? Qu'est-ce qui l'empêchera... ?

Jake écarta cette éventualité.

– Il n'ira rien dire à Ben tant qu'il pensera que tu ne te doutes de rien. Tu as entendu l'enregistrement, Lori. Notre ami Simon n'en a pas encore fini avec toi.

– Oh ! si, c'est bel et bien fini, lança soudain Lori, sa déception trouvant un exutoire dans la colère. Je préférerai encore tomber dans les bras de Stromfeld[1] que de m'approcher de nouveau de Simon Macey.

– Non, non, Lori, dit Jake d'une voix songeuse. Ne t'emporte pas trop vite.

– Comment ?

– Macey ne sait pas que je l'ai enregistré. Nous avons un avantage maintenant, et il y a peut-être une manière de l'utiliser à notre profit, ajouta-t-il avec un sourire conspirateur. Tu vois où je veux en venir ?

– Je commence, oui, dit Lori en retournant son sourire à Jake.

---

1. Voir Spy High Mission 1 : *La Fabrique de Frankenstein.*

– Il y a peut-être un moyen de renverser les rôles avec Simon Macey et l'équipe Solo.

La température chutait de manière alarmante. Vêtus de leurs simples maillots de bain, Cally et Eddie se mirent malgré eux à frissonner. On aurait dit à présent que la nuit venait de tomber, la nuit la plus noire et la plus profonde de l'année. Le paradis était empoisonné.

– Je corrige, dit Eddie. Ce sont de *gros* ennuis. Laissons les techniciens s'en occuper. Identité vocale Nelligan : fin du programme.

– Identité vocale Cross : fin du programme.

Et c'en serait fini, bien sûr. Demander la fin du programme déclenchait un transfert immédiat du monde virtuel aux cyber-cocons de Spy High, où les corps de chair et de sang des étudiants attendaient patiemment le retour de leurs esprits, hors de portée de tout danger. Le système était sans faille. Rien ne pouvait leur arriver. Il ne fallait qu'une seconde pour que le mécanisme de transfert s'active.

Une bourrasque de vent frappa Cally et Eddie de plein fouet, comme un coup de bélier, les projetant les fesses dans le sable. Mais le plus grand choc ne venait pas du vent.

– Ça ne marche pas ! s'écria Cally. Fin du programme ! Identité vocale Cross : fin du programme !

– Essaie : fin du programme *s'il vous plaît*, suggéra Eddie en se remettant sur ses pieds.

Il leva les yeux vers les cieux grondants. Des éclairs de lumière blanche zébraient l'horizon, chargés d'électricité.

– J'ai comme l'impression que quelqu'un ne nous apprécie pas.

Un éclair aveuglant jaillit soudain au-dessus de leur tête, leur tombant droit dessus. Étonné par la rapidité de ses propres réflexes, Eddie se jeta sur le côté en poussant Cally. L'éclair carbonisa la plage à l'endroit précis où ils se trouvaient une seconde auparavant, atomisant les lunettes de soleil d'Eddie.

– Allez, éclaire ma lanterne, Cally, dit-il d'une voix précipitée. Dis-moi ce qui se passe.

– Quelque chose a pris le contrôle du programme.

Eddie n'aimait pas du tout l'expression qu'il lut dans les yeux de Cally.

– Quelque chose d'hostile. Quelque chose qui ne souhaite pas qu'on en sorte.

– J'ai droit à combien de réponses ?

Un second éclair vint soudain frapper un palmier juste à côté d'eux, qui se scinda en deux et s'embrasa aussitôt. Les nuages noirs au-dessus d'eux se mirent à tournoyer, formant une spirale de plus en plus grande tandis que le sol commençait à trembler sous leurs pieds.

– Némésis, dit Cally dans un souffle. Elle sait qu'on est là. Elle vient pour moi, Eddie.

Elle se serra contre lui.

– Ah oui ? Eh bien elle ne t'aura pas, dit Eddie en tentant d'avoir l'air sûr de lui – l'espion qui souriait. Pas avec Eddie Nelligan pour couvrir tes arrières, tu te souviens ? Viens.

Il l'entraîna sous le couvert des palmiers – un refuge tout relatif.

– Maintenant réfléchis, Cally. Il doit bien y avoir une issue. Une procédure de sécurité au cas où le programme déconne, non ?

– Tu as raison, acquiesça Cally en essayant de reprendre ses esprits.

« Formes... organiques... impures. » Essaie d'oublier ça. Essaie d'oublier les mains des zombies en blouse blanche autour de ton cou. Ce n'était pas si facile.

– Les techniciens, dans la salle de réalité virtuelle... Ils vont s'apercevoir que quelque chose ne va pas...

Elle avait été stupide, stupide de laisser Eddie la convaincre de venir ici. Elle aurait dû s'en douter, elle aurait dû y penser. Mais elle était fatiguée. Elle n'avait pas réfléchi. Dans le monde virtuel, Némésis était le chasseur. Et Cally n'était plus qu'une simple proie.

Le ciel formait à présent une sorte de tourbillon. En son centre, un œil unique, grand ouvert. Un rayon lumineux comme celui d'une lampe en jaillit, fouilla tout le long de la plage dévastée et se dirigea vers les palmiers.

Eddie entraîna Cally plus profondément dans le sous-bois.

– Écoute, on va s'en sortir, lui promit-il. De toute façon, on ne peut pas être blessés ici, hein ? Je veux dire, c'est seulement la réalité virtuelle. Nos enveloppes physiques sont totalement hors d'atteinte, pas vrai ?

Le rayon lumineux explora le feuillage, en se rapprochant inexorablement des étudiants. Le vortex dans le ciel semblait enfler, gagner en puissance jusqu'à un violent crescendo.

– Si seulement c'était le cas.

Eddie trébucha et Cally faillit lui tomber dessus. Elle s'agrippa à son épaule ; elle devait lui faire comprendre le réel danger qu'ils couraient.

– Ce sont nos esprits qui comptent, Eddie ; ce sont eux qui envoient des signaux à nos corps. Et nos esprits croient que cet univers est réel.

– Alors si on croit qu'on est blessés...

Le cœur d'Eddie se serra lorsqu'il comprit.

– Némésis a dû court-circuiter les protocoles de sécurité. Eddie, si on meurt ici, on meurt pour de bon.

– *Im... pures...*

Les étudiants crièrent en même temps lorsque la douleur se referma sur eux comme des griffes. La voix de Némésis crissait dans leurs esprits tels des ongles sur un tableau noir, aiguë, perçante.

– *Formes... organiques... impures.*

Les mots n'étaient pas prononcés à haute voix, mais ils résonnaient dans leur tête, comme du verre brisé s'enfonçant dans leur cerveau.

À présent, la lumière les avait trouvés, les avait débusqués de leur cachette dérisoire. Cally était totalement aveuglée, son crâne était en feu et chacun de ses membres lui faisait mal. Elle ne put vraiment voir ce qui arriva ensuite, et c'était probablement tout aussi bien.

Les cieux s'écartèrent et une pluie sombre comme du sang figé gicla sur les étudiants. Le vortex s'ouvrit comme une bouche pourrie. Quelque chose s'en extirpa, quelque chose qui dégageait une lumière noire et dont la puissance était presque palpable.

Cally avait déjà aperçu la face de Némésis, ses yeux noirs globuleux et les codes informatiques froids qui y défilaient, sa gueule de robot farcie d'électrodes, la lueur de haine digitale qui en émanait. Mais à présent c'étaient ses pattes d'araignée qui émergeaient du vortex, comme des pylônes métalliques hérissés de pointes, comme des poutrelles d'acier scintillantes, qui se posèrent sur le sable de la plage. Le corps mécanique articulé suivit, la tête, les yeux étincelants et calculateurs, les crocs d'électrodes grésillant d'énergie mortelle, et finalement le ventre bouffi vibrant d'électricité, ses cyber-circuits encastrés dans une armure chitineuse. La corruption était là. Le virus était arrivé.

Némésis domina de toute sa hauteur les adolescents, les fixant d'un regard implacable.

– *Formes organiques... impures... Éradiquer...*

– Elle n'a pas vraiment beaucoup de conversation, murmura Eddie. Viens, Cally !

S'il cherchait une issue pour s'échapper, Eddie vit soudain les options se réduire. Le sol trembla et en jaillirent d'énormes piliers de pierre qui les encerclaient en les piégeant à l'intérieur. Némésis sembla presque faire un signe d'approbation.

– Elle remodèle le paysage, dit Cally, d'une voix haletante, elle le reprogramme à son image. On ne peut rien faire !

Némésis se baissait vers eux à présent.

– Eddie, je ne sais pas quoi faire !

Fini les plaisanteries. Ils n'avaient plus le temps. Eddie fit barrage entre Némésis et Cally.

– Cours, Cally ! Aussi loin que tu peux ! Je le retiens !

Avec quoi ? Bonne question. Eddie doutait fort que son simple courage suffirait à impressionner le virus.

Avec une rapidité incroyable pour sa taille, la tête de Némésis se déplaçait tout autour d'Eddie, l'examinant comme si c'était un insecte. Instinctivement, Eddie leva les bras pour se protéger. La gueule allait se refermer sur lui et il serait cuit. Le courant généré par les électrodes jumelles allait carboniser ses organes internes en décollant la chair de ses os comme du simple papier peint.

Il ferma les yeux juste avant la fin et cria : « Non ! »

Et ce furent les ténèbres, totales, mais indolores. On avait peut-être fait à la mort une mauvaise réputation après tout.

Puis il y eut des mains sur lui, des mains humaines, et Eddie se rendit compte qu'il n'était pas mort – c'était une bonne nouvelle – et qu'il n'était plus dans le programme de réalité virtuelle – c'était encore mieux. Il était dans son cyber-cocon. Et des techniciens étaient en train de le déconnecter.

– Sortez-le de là pendant qu'on a encore le contrôle ! les pressait quelqu'un.

– Cally, demanda Eddie. Où est Cally ?

Il essaya de sortir seul du cyber-cocon mais il était encore trop faible. Sa tête lui faisait mal et il avait l'impression qu'il n'allait pas tarder à vomir. Les techniciens l'aidèrent et le libérèrent du cyber-cocon.

– Du calme, Nelligan. Vas-y doucement. Tu as dû passer un sale moment. Alors relax.

– Relax ? répéta Eddie, pour qui le mot semblait n'avoir pas de sens. Où est Cally ? Elle va bien ?

Les techniciens échangèrent des regards nerveux. Mais aucun ne lui répondit. Eddie tourna les yeux vers le cyber-cocon de Cally. Il était cerné par une flopée d'autres blouses blanches. Ils étaient silencieux, comme une famille endeuillée à un enterrement.

– Cally ! s'écria Eddie, se dirigeant vers le cocon en titubant. Qu'est-ce qu'elle a ? Qu'est-ce qui se passe ?

Les techniciens s'écartèrent pour le laisser approcher.

– Cally ? Oh ! non...

Elle aurait pu dormir. L'expression sur son visage était calme, son corps semblait apaisé, mais son esprit était ailleurs. Dans le monde virtuel qu'elle avait créé, Némésis devait avoir encore besoin d'elle. Elle n'était pas morte, mais elle n'était pas vraiment vivante non plus.

Cally était dans le coma.

12

– Nous pouvons maintenir son corps en état de fonctionner indéfiniment, dit le technicien. Nous pouvons la nourrir et empêcher ses muscles de s'atrophier grâce à la physiothérapie. Elle peut rester dans cet état tout le reste de sa vie naturelle.

Endormie, sans l'être. Inconsciente, mais pas tout à fait non plus. Privée de conscience, ce qui était différent. Privée de son esprit. Privée de son âme. La coquille vide de Cally Cross, comme un vestige. L'équipe Bond, le technicien et le directeur Grant s'étaient réunis dans une atmosphère solennelle autour du cyber-cocon. Un nom qui sonnait faux à présent, pensa Lori. Un cocon évoque la naissance, une nouvelle vie. Le réceptacle dans lequel se trouvait le corps de Cally ressemblait désormais plus à un cercueil, un cercueil muni d'un couvercle de verre, comme celui dans lequel gisait Blanche-Neige, empoisonnée, avant que le prince ne vienne la réveiller. Mais qui serait le prince de Cally ? Qui pourrait la ramener à la vie ?

– Et son esprit ? demanda Lori, espérant toujours un miracle. Comment pouvons-nous le ramener ?

Le technicien se dandina d'un air embarrassé et répondit sans regarder personne :

– Je vous ai dit ce que nous pouvions faire. Mais faire reprendre conscience à Mlle Cross, nous ne le pouvons pas. D'après ce qu'Eddie nous a raconté, nous supposons que son esprit, sa personnalité, ou son essence, si vous préférez, est échouée quelque part dans le cyberespace, à la merci de Némésis.

– Alors nous devons la faire sortir de là, dit Jake pour qui la solution semblait évidente. Ou partir à sa recherche. On ne peut pas rester ici à se tourner les pouces sans rien faire.

– Cally est notre coéquipière, dit Ben en écho. Quels que soient les risques, nous ferons ce qu'il faut.

Jennifer et Lori marquèrent leur assentiment. Eddie marmonna quelque chose; il aurait préféré être dans le cocon à la place de Cally. C'était peut-être de la parano, mais il avait l'impression que les autres lui jetaient des regards accusateurs, que leurs commentaires le visaient plus ou moins directement, comme des reproches voilés, qui disaient à demi-mot: comment avait-il pu laisser Némésis s'emparer de Cally? Pourquoi ne s'était-il pas interposé? Et comme un leitmotiv: qu'est-ce qu'il faisait là sans elle? L'équipe Bond gagnait ou perdait, mais toujours collectivement. Même si ses coéquipiers ne lui faisaient pas ces reproches à haute voix, Eddie savait qu'ils le pensaient. Les autres pensaient qu'il était un raté.

Et alors? N'avaient-ils pas raison? Il avait laissé tomber Cally, non? Il n'osait même pas leur dire ce qui s'était réellement passé à la fin, ce dont il venait juste de prendre conscience. Lorsque Némésis était sur le point de frapper, Eddie n'avait fait qu'attendre la mort. Mais le virus ne l'avait pas tué. Il l'avait simplement chassé, renvoyé dans le monde de la chair, du sang et des remords. Némésis ne l'avait même pas jugé digne de mourir. Némésis l'avait congédié, comme un moins-que-rien. *Un moins-que-rien.* Ce virus semblait avoir une bonne appréciation des caractères.

Le regard enflammé, Jennifer était en train de faire une suggestion, qui semblait quelque peu suicidaire.

– Pourquoi ne pas nous envoyer dans le programme ? On peut combattre Némésis et ramener Cally. Elle est toujours vivante là-dedans, non ? Il n'est pas trop tard ?

– Non, sa conscience semble intacte, admit le technicien. Si elle était gravement touchée, ses signes vitaux en seraient affectés. Quant à savoir s'il est encore temps, je crains de ne pouvoir vous répondre. Dans l'hypothèse où l'esprit de Cally a subi un traumatisme mental important, et nous devons envisager cette possibilité, alors les conséquences pour son corps si... *quand* son esprit reviendra dans son enveloppe charnelle, eh bien ces conséquences pourraient être très graves.

– Que voulez-vous dire ? demanda Lori.

– Dommages cérébraux, lâcha le technicien d'un ton crispé. Dommages cérébraux irréversibles.

– Alors qu'est-ce qu'on attend ?

Jennifer semblait sur le point de rentrer dans son cybercocon.

Grant leva les mains comme s'il se rendait, acceptant sa défaite devant l'inéluctable.

– Une minute, Jennifer. Et vous tous. Attendez.

– Attendre quoi ? répliqua Jake. Que Némésis en ait fini avec Cally ?

– Attendre les ordres. Que votre directeur décide quoi faire, précisa-t-il en jouant de son autorité. Bon, je sais que vous voulez aider Cally. Nous le souhaitons tous. Mais envoyer qui que ce soit dans la réalité virtuelle actuellement, alors que Némésis infecte le système, reviendrait à signer son arrêt de mort. M. Deveraux a ordonné la fermeture complète de tous les systèmes informatiques de l'école, à l'exception de ceux qui assurent des tâches vitales, comme de maintenir Cally en vie, pendant toute la durée de cette crise. Notre priorité doit être de renforcer nos programmes de sécurité et de défendre l'intégrité des systèmes qui n'ont pas encore été infectés, dit Grant en regardant ses étudiants d'un air grave. Je crains que la protection de l'école Deveraux soit plus importante qu'un simple cas individuel. Je suis désolé.

– Dites-le plus fort, Cally vous entendra peut-être, grommela Jake. Bienvenue parmi les pertes.

Ben posa la main sur son épaule.

– On connaissait tous les risques quand on a signé, Daly. Nous tous, et Cally aussi.

– Ah oui ? Et je suis supposé me sentir mieux ? J'aurais pensé que tu te montrerais un peu plus concerné, Stanton. Après tout, comment on va faire pour gagner le Bouclier de Sherlock à cinq ?

– Hé, c'est sans rapport avec...

– Ben, Jake, les coupa Grant d'un ton sévère et sans appel. Ce n'est pas le moment de vous chamailler. Vous n'aiderez pas Cally comme ça.

Jennifer eut un rire cassant.

– D'après vous, on n'aidera pas Cally, de toute manière.

– Le fait est, intervint Lori, qu'on sait maintenant exactement où se trouve Némésis. Voilà notre chance de la détruire. C'est bien la mission de Spy High, non ? Alors si on peut sauver Cally par la même occasion...

Grant reconnut que Lori avait marqué un point.

– C'est juste, en théorie, Lori. Mais dans la pratique ? Nous n'avons pas encore trouvé le moyen d'attaquer Némésis, même si évidemment nos scientifiques y travaillent. Si seulement le professeur Newbolt pouvait nous aider... Sans ses compétences, nos chances sont faibles.

Newbolt, songea Lori. Si seulement leur bon vieux professeur Gadget était de retour. Eh bien, pourquoi pas ? L'espoir gonfla dans le cœur de Lori.

Eddie demeura dans la salle de réalité virtuelle longtemps après que les autres furent partis. Ils ne lui avaient d'ailleurs pas demandé de les suivre. Ils n'avaient même pas remarqué son absence. Pourquoi l'auraient-ils fait d'ailleurs ? se dit-il amèrement. Il n'était rien.

Cally gisait là, fantôme derrière la vitre. Il la contempla. Elle était comme une photographie. « Je ne suis jamais aussi rassurée que si c'est toi qui couvres mes arrières », avait-elle dit. Peut-être devrait-elle y penser à deux fois. Si elle pouvait encore penser.

– Pardonne-moi, Cally.

Pas très drôle. Pas très « joker dans notre jeu ».

Eddie vit son visage reflété par le verre du cyber-cocon. L'espion qui souriait ? Il ne souriait plus.

Ce qu'elle allait faire était-il éthique ? Était-ce juste ? La fin justifiait-elle les moyens ? Lori n'en était pas sûre. Tout ce qu'elle savait, c'était qu'une personne, et une seule, pouvait peut-être sauver Cally. Ce n'était pas elle. Et d'une certaine manière, ce n'était même pas Gadget. C'était Vanessa.

Elle trouva le professeur Newbolt dans son laboratoire, en train de tripatouiller ses panneaux de circuits et ses lumières clignotantes tout en marmonnant des conseils à des étudiants qui n'existaient pas. Il ne remarqua même pas son entrée. Il était heureux à sa manière, pensa Lori, la sénilité l'isolait de la peine, de la douleur et des souvenirs qui faisaient si mal. Et elle était venue pour lui remettre en mémoire toute la tragédie. Elle était venue pour faire revivre les morts.

– Grand-père ? dit-elle. Grand-père.

Gadget sursauta et leva les yeux. La peur déformait son visage, comme si l'on venait de dévoiler un coupable secret.

– Qui est-ce ? demanda-t-il. Qui est là ?

– Tu sais qui je suis, grand-père.

Elle s'avança plus près de lui, ramenant le passé avec elle. Elle sourit.

Le vieux Gadget sourit à son tour ; le soulagement et le plaisir étaient visibles dans ce sourire. Ils illuminaient son visage lorsqu'il ouvrit ses bras frêles pour l'étreindre.

– Vanessa, dit-il d'une voix brisée par l'émotion. Ma chérie.

Lori le laissa la serrer dans ses bras. Elle entendit le vieil homme sangloter. Elle savait pourquoi.

– C'est si bon de te revoir, grand-père, dit-elle.

– Laisse-moi te regarder, Vanessa.

Les mains noueuses et tremblantes du vieil homme caressèrent son visage, ses cheveux, comme un aveugle identifiant une personne qu'il connaît.

– Ah ! tu viens si rarement me voir ces temps-ci, ma chérie. Si tu savais combien tu me manques.

– Moi aussi, tu me manques, grand-père, mais il ne faut pas être triste. Je suis heureuse là où je suis, tu sais.

Lori se dit qu'elle ferait mieux d'en venir vite au but. Plus cette supercherie durait, plus elle en était affectée. *Pense à Cally*, se remémora-t-elle. *Tu le fais pour Cally.*

Gadget semblait vieillir à vue d'œil.

– Heureuse ? Comment est-ce possible, Vanessa ? J'ai fait quelque chose de mal, n'est-ce pas ? J'ai fait quelque chose qui t'a fait partir et j'avais tort, c'était ma faute, c'est ça ? Je n'arrive pas bien à me rappeler ce que c'était, mais si tu restes un peu je suis sûr que...

– Ça n'a plus d'importance, grand-père, dit Lori d'une voix apaisante. Plus maintenant. C'est ce que je suis venue te dire. Ce n'est pas grave. Je te pardonne. Je t'ai toujours aimé et je te pardonne.

– Tu me pardonnes, Vanessa ?

Le vieux Gadget avait du mal à retenir ses larmes.

– Oh ! ma chérie, si tu savais combien j'ai espéré que tu me dises ça un jour. Je regrette ce que j'ai fait, je regrette tellement. Mais je croyais... Je n'arrive pas à me souvenir de ce que je croyais... mais merci, ma chérie. Je t'ai toujours aimée, moi aussi, tu sais.

Il prit ses mains dans les siennes et les caressa comme si c'était un chaton.

– Grand-père...

C'était le moment de vérité.

– ... il y a autre chose.

– Tout ce que tu veux, Vanessa. Demande-moi ce que tu veux, ma petite-fille chérie.

– J'ai besoin que tu m'aides.

Jennifer lui ouvrit la porte, mais même si Jake ne s'attendait pas à ce qu'elle le prenne dans ses bras, encore moins dans les circonstances actuelles, il n'était pas préparé à la sévérité et à la froideur de son expression. On aurait dit que la porte la plus importante – celle qui donnait accès au cœur et à l'âme de Jennifer – était non seulement fermée, mais verrouillée avec de nouvelles serrures.

– Lori n'est pas là, dit Jennifer avec un petit sourire, comme si elle venait de sortir une blague.

– Hein ?

– Tu peux entrer et vérifier par toi-même si tu ne me crois pas. Dans la salle de bains, où tu veux... Elle n'est pas planquée sous le lit non plus.

– Hein ?

Jake se demanda s'il ne ferait pas mieux de ressortir, de frapper et de recommencer depuis le début.

– Je ne cherche pas Lori, Jen. Je ne comprends pas pourquoi... Je suis venu te voir.

– Eh bien tu m'as vue. J'espère que tu es satisfait.

Elle fit un tour complet sur elle-même.

– Jennifer, tu vas bien? demanda-t-il en repensant à ce que Ben avait dit: *instable*. Je pensais qu'on pouvait peut-être parler. Tu sais, ça pourrait nous aider de discuter.

– Discuter de quoi? Du beau temps que nous avons pour cette période de l'année? Ou des gens sur qui on peut tomber en se promenant dans le parc?

– De Cally, en fait.

– Oh, Cally. Elle est dans le coma, tu le savais? Cela dit, ça veut dire que maintenant on peut faire des trucs dans son dos sans qu'elle n'en sache rien. C'est pratique quand on y pense, non?

– Écoute, je sais qu'on est tous bouleversés par ce qui arrive, mais...

Jake ne savait trop comment interpréter le comportement de Jennifer. Il commençait à souhaiter que Lori soit effectivement là. Ou n'importe qui d'autre.

– Je pensais qu'on pourrait aussi parler de nous.

– *Nous?* dit Jennifer, l'air incrédule. Tu veux dire *nous* comme dans toi et moi? Juste nous deux?

– Eh bien, l'autre jour, dans le dôme, enfin dans les champs, j'ai cru qu'il se passait peut-être quelque chose. Enfin, entre nous. J'ai pensé qu'on commençait à ressentir...

– Quoi?

Quel culot de venir lui raconter ça après ce qu'elle avait vu avec Lori!

– Écoute, Jen, on ne pourrait pas simplement s'asseoir et parler?

– Je ne crois pas, Jake.

Il l'avait trahie. Elle ne pouvait plus lui faire confiance. Elle ne pouvait faire confiance à personne.

– Je suis très occupée, tu vois. Mais je suis sûre que tu trouveras quelqu'un d'autre de bien disposé. Si tu vois ce que je veux dire.

Jake ne voyait pas, mais il partit sans ajouter un mot. Il ne pouvait pas discuter avec Jennifer quand elle était de cette humeur. Si elle voulait vraiment être seule, alors elle le lui avait bien fait comprendre.

Il retourna dans sa chambre. Quelqu'un avait peut-être réfléchi à un plan pour aider Cally. N'importe quoi ferait l'affaire, aussi déplaisant et dangereux que ce soit, tant que c'était de l'action. Il ne s'était jamais senti à l'aise dans les discussions. Mais l'action, c'était son rayon.

Lori trouva Ben dans la salle de réalité virtuelle. Il était avec Cally, la tête baissée, plongé dans ses pensées. Il avait posé une main sur le cyber-cocon. Il ne prit conscience de la présence de Lori que lorsque les mains de la jeune fille se joignirent à la sienne et qu'elle la serra pour le réconforter.

– Tu devrais faire plus attention, le réprimanda gentiment Lori. Ce n'est pas bon pour un agent secret de se laisser surprendre si facilement.

Ben eut un faible sourire.

– J'aimerais pouvoir dire que je savais que c'était toi, Lori. Peut-être que je me relâche en ce moment.

– Non, dit Lori d'un ton rassurant. Ce qui est arrivé à Cally nous affecte tous. Mais écoute, Ben...

– Penses-tu que je sois un bon leader, Lori ?

La question la surprit, de la part de Ben, mais la franchise de son expression lui fit comprendre qu'il était sérieux en la posant.

– C'est ce qu'a dit Jake. Selon lui, si je m'inquiète à propos de Cally, c'est uniquement parce que sa perte affaiblit l'équipe. Comme si au fond je n'en avais rien à faire d'elle.

– Jake ne le pensait pas, dit Lori. Il a sorti ça sans réfléchir, c'est tout. Nous disons tous des choses qu'on ne pense pas quand on est énervés.

– Pas toi, dit Ben. Tu ne perds jamais ton sang-froid. Tu n'es jamais sarcastique. Tu ne manigances jamais de choses dans le dos des autres.

– Oh ! Ben, dit Lori en rougissant et en secouant la tête. Ne crois pas ça. Je ne suis pas une sainte.

– Non, tu es un ange, dit Ben en souriant. Mais moi, je pense parfois que je serais plus à ma place en bas, en compagnie des types avec des cornes et des queues fourchues. Parce que quoi que tu dises, et même si tu as raison au sujet de Jake, je crains qu'il n'ait pas eu tout à fait tort.

– Ben, tu te tourmentes sans raison.

– Si, j'ai une bonne raison. C'est mon égoïsme. C'est mon arrogance. C'est ma volonté d'être le meilleur à tout prix. J'agis parfois d'une manière indigne d'un bon leader, et je traite les gens, comment dire... comme s'ils valaient moins que moi.

– Tu es fort, Ben. Tu nous pousses à aller de l'avant. Tu as fait de l'équipe Bond ce qu'elle est.

– Et Cally, j'en ai fait ce qu'elle est ?

– Bien sûr que non, dit Lori en le secouant, presque en colère. Personne n'est responsable de ce qui est arrivé à Cally. Aucun d'entre nous. Tu avais raison tout à l'heure. Nous connaissions tous les risques. Si nous ne voulons pas les prendre, on peut toujours se faire laver le cerveau et renvoyer à la maison. Se sentir coupable pour quelque chose dont on n'est pas responsable, c'est de la complaisance et de l'auto-apitoiement. C'est la marque d'un mauvais leader. Un bon leader accepte les situations et essaie d'y remédier.

Ben indiqua le cyber-cocon.

– Et comment peut-on remédier à ça?

Lori serra sa main plus fort.

– C'est ce dont je voulais te parler.

Il y avait d'autres personnes dans le laboratoire – le reste de l'équipe Bond, le directeur Grant, et même Deveraux par le biais d'un écran vidéo –, mais le professeur Henry Newbolt semblait ne pas avoir conscience de leur présence. Gadget n'avait d'yeux que pour Lori, et dans ces yeux brillait à nouveau l'étincelle du génie. À ce moment précis, sans aucun doute, l'inventeur était de retour.

– Voilà comment nous allons faire, ma chérie, expliqua-t-il. Voilà comment nous sauverons ton amie.

Eddie s'attendait à ce que Gadget leur sorte un pistolet laser ou un truc du même genre, une arme qui ferait exploser Némésis en mille morceaux. À la place, le scientifique leur montra un vêtement taillé dans une matière argentée brillante, pas très éloigné de leurs combichocs. Eddie pensa aussi aux vieilles combinaisons antiradiations qu'on utilisait dans les centrales atomiques, totalement hermétiques, avec une sorte de visière transparente devant le visage. L'ancien Eddie – l'espion qui souriait – aurait sans doute lancé une vanne sur l'aspect démodé de la combinaison qui suffirait à faire fuir Némésis, ou demandé depuis quand Gucci habillait les étudiants de Spy High, ou une imbécillité du même genre. Le nouvel Eddie – le moins-que-rien – regarda et écouta attentivement. Si on lui donnait une seconde chance, il n'allait pas la louper.

– Vous devez retourner dans le programme, continuait Gadget. C'est la seule solution. Mais vous devez être immunisé contre le virus. D'où la VIPR, la combinaison virus-protection. Pour piéger une araignée, on envoie un serpent, Vanessa.

– Vanessa ?

À l'exception de Ben, tous jetèrent à Lori un regard interrogateur.

Lori les ignora.

– Continue, grand-père, dit-elle devant une assemblée encore plus perplexe. Que fait cette combinaison exactement ?

– Une fois activée, reprit Gadget, la VIPR génère un champ de force qui neutralise la capacité du virus à contaminer et à reprogrammer le cyberespace. En d'autres termes, avec vos combinaisons, Némésis sera incapable de vous atteindre. Vous les revêtirez dans vos cybercocons pour protéger vos corps et leurs équivalents virtuels seront configurés dans le système afin que vous soyez également protégés à l'intérieur du programme.

– Ça semble bien, approuva Jake.

– Si ça marche, dit Jennifer d'un ton cassant.

– Oh ! ça marchera, assura Gadget qui semblait d'un optimisme inébranlable. Je n'inventerais rien pour ma Vanessa qui ne... marcherait pas.

Soudain, une ombre passa sur son visage et son sourire disparut.

Lori interpréta aussitôt son expression et parla pour empêcher Gadget de replonger dans le passé et le maintenir dans le présent.

– Comment, grand-père ? Comment ça marche ?

– Oh ! c'est tout simple, reprit le vieil homme. La VIPR fonctionne à l'image du système immunitaire du corps humain : elle produit des anticorps pour combattre l'infection ; seulement, à la place des anticorps, la combinaison sécrète des anticodes, c'est-à-dire des codes informatiques binaires qui résistent même aux supervirus comme Némésis. Mieux encore, les anticodes sont capables d'attaquer autant que de défendre.

Gadget attira l'attention de son audience sur les bracelets insérés dans les manches du costume.

– Ça marche exactement comme les somno-lances, sauf que ça envoie des anticodes. Et une fois que vous aurez sauvé... que vous aurez sauvé... Vanessa ?

Gadget eut de nouveau un moment de doute, une sorte d'absence – sa lucidité refluait.

– Tout va bien, grand-père.

Lori tentait de ne pas le perdre. L'esprit du vieil homme semblait de plus en plus embrumé.

– Dis-moi, c'est quoi ça ? À quoi ça sert ?

Gadget posa les yeux sur l'objet métallique de la taille d'un portable qui se trouvait sur la table comme s'il ne l'avait jamais vu avant.

– Quoi... ça ? C'est... une bombe !

On aurait dit qu'il venait de trouver la réponse dans un jeu télévisé.

– Une bombe... binaire. Mise à feu... explosion... Les anticodes vont envahir tout le programme... le détruire entièrement. Aucune issue possible pour Némésis – ni pour quiconque sera dedans à ce moment-là. Vous devrez le quitter avant la détonation, sinon... personne ne pourra vous sauver. Personne.

Une terrible vérité lui revint soudain à l'esprit.

– Vanessa, je ne t'ai pas sauvée...

Il jeta un regard horrifié à Lori.

– Je ne t'ai jamais...

Puis les yeux du vieil homme se voilèrent, comme si toute vie les avait quittés.

– Tu n'es pas Vanessa. Qui es-tu ? Qui sont ces gens ? Que faites-vous dans mon laboratoire ? Serait-ce trop demander de pouvoir travailler sans être dérangé ? Laissez-moi tranquille. Sortez d'ici et laissez-moi tranquille...

Le vieil homme brisé qui avait été autrefois l'un des plus brillants cerveaux au monde se précipita dans un coin de la pièce en marmonnant entre ses dents et se mit à farfouiller parmi des câbles et des morceaux de fil électrique.

– Maintenant, tu vas nous expliquer ce qui s'est passé, Lori ? s'enquit Jake.

Lori posa un regard plein de compassion sur Gadget.

– Quelque chose dont je ne suis pas très fière.

– Mais c'était très ingénieux de votre part, Angel.

La voix de Deveraux en provenance de l'écran vidéo les surprit tous.

– Utiliser les souvenirs de la petite-fille du professeur Newbolt pour lui faire retrouver ses esprits, ne serait-ce que temporairement. Grâce à vous, nous avons une chance, à la fois de sauver l'agent Cross et de détruire Némésis une bonne fois pour toutes.

– Mais les combinaisons, monsieur, dit prudemment Grant, elles n'ont pas été testées.

– Nous n'avons pas le temps de les tester, Grant, dit Deveraux. Le temps est notre ennemi. Nous devons agir immédiatement, avant que Némésis ne se déplace et que nous perdions sa trace. Réunissez une équipe dans la salle de réalité virtuelle.

– Monsieur ! intervint Ben en s'avançant vers l'écran. Envoyez-nous, monsieur. Nous avons déjà eu affaire à Némésis, et Cally est notre équipière. Nous lui devons ça.

Les traits réguliers de Deveraux affichèrent une expression de concentration.

– Grant ?

– Stanton a raison, monsieur, mais on dispose d'équipes plus confirmées...

– Étant donné que vous êtes encore étudiants, nous ne pouvons pas vous assigner cette mission, fit remarquer

Deveraux. Mais si tel est votre souhait, vous pouvez vous porter volontaires, et nous vous la confierons. À vous de choisir, équipe Bond. Êtes-vous tous avec Stanton ?

Il fallait croire que oui. Ben se détendit dans son cyber-cocon tandis que les techniciens s'affairaient dans la salle afin de préparer le transfert. Personne n'avait élevé d'objection à la mission ; toute l'équipe l'avait soutenu. Cela lui avait fait du bien : il se sentait de nouveau dans la peau du leader, et c'était suffisant. Quels que soient les dangers qui les attendaient dans cette confrontation finale avec Némésis, Ben savait que ses coéquipiers et lui y feraient face et parviendraient à triompher. Ils étaient l'équipe Bond. Ils ne pouvaient pas perdre.

– Nous allons envoyer une combinaison VIPR pour Cally, ainsi que la bombe. Amorcez-la avant toute chose. La destruction de Némésis est votre priorité absolue.

Lori le savait. Elle avait manipulé le professeur Newbolt dans ce but, pour qu'ils aient une chance de riposter, de stopper le virus avant qu'il tue d'autres gens. Avant qu'il tue Cally. Tout en se sanglant dans son cyber-cocon, Lori espéra que cette pauvre fille défunte, Vanessa, l'aurait comprise. Et elle pria pour qu'il ne soit pas déjà trop tard.

– Nous allons réorienter l'énergie de nos systèmes de sécurité vers le programme de réalité virtuelle afin d'être sûrs de pouvoir vous ramener, mais nous ne pourrons pas la maintenir indéfiniment. Vous disposerez d'une heure. Soixante minutes pour localiser et récupérer Cally.

Les épreuves en temps limité n'avaient jamais gêné Jake. Elles représentaient un challenge, pas un obstacle. Il détendit ses muscles et respira profondément, comme on leur avait enseigné à le faire avant une immersion totale dans le monde virtuel. Il ne pensait pas à Jennifer (même si une partie de lui le souhaitait). Il pensait à Cally. Le trimestre précédent, il l'avait convaincue de rester à Spy High. Il n'avait pas fait cela pour la voir réduite à l'état de légume. Donc il avait une heure devant lui pour rétablir les choses. Et Jake avait bien l'intention d'exploiter chaque seconde dans ce but.

– Némésis a un avantage. À l'heure qu'il est, elle a dû reprogrammer complètement le paysage virtuel à son goût. Nous n'avons aucun moyen de savoir ce dans quoi vous allez débarquer.

Jennifer s'en fichait. Plus ce qui les attendait serait sombre, horrible et dangereux, mieux elle s'en porterait. Ce serait en phase avec son humeur. Des senseurs se pressèrent contre ses tempes. Elle avait l'impression que le cyber-cocon la comprimait, l'étouffait. Elle avait envie de crier. Elle avait envie de donner des coups. *Bientôt. Très bientôt.*

Avec un sifflement presque inaudible, les couvercles de verre descendirent sur les cyber-cocons et se mirent en place en cliquetant.

– Bonne chance, équipe Bond, dit quelqu'un.

Le transfert avait commencé.

Eddie ferma les yeux. Il n'avait pas sorti de blague du style « à deux dans un cyber-cocon », ou « si c'est vraiment un cocon, pourquoi on n'est pas plus beau en sortant » ? Les autres n'avaient pas rencontré Némésis dans le cyberespace auparavant. Lui si, et il avait été tenu en échec ; mais pas cette fois. Cette fois, se promit Eddie, ce serait différent.

13

– Ça s'annonce mal, dit Ben.

L'apocalypse avait eu lieu. Ils se trouvaient au milieu du squelette fumant d'une cité en ruine : des routes brisées et des carcasses de voitures, des murs qui se découpaient contre le ciel comme des dents géantes cassées, les os des immeubles pourrissant dans un désert radioactif. Au-dessus de leurs têtes, une épaisse couche nuageuse bloquait les rayons d'un soleil misérable. Les nuages semblaient bouillonner et suppurer comme le mal incarné, transpercés d'une lueur pourpre.

– Le cauchemar ultime de l'humanité, dit Lori dans un souffle. L'Armagedon nucléaire.

– Ouais, dit Jake dont l'expression était grave derrière sa visière. Et le rêve ultime de Némésis. C'est ce qu'elle veut voir se produire dans le monde réel.

– Pas si on peut l'en empêcher, dit Ben en réglant sa combinaison. Vérifiez vos VIPR. Assurez-vous qu'elles sont bien activées. Les communicateurs de casque sont OK ? Tout le monde me reçoit ?

– Cinq sur cinq, chef, dit Eddie.

– Bien. Parce que si votre combinaison foire, Némésis ne vous fera pas de cadeau.

Jennifer restait à distance des autres. Elle trouvait ce paysage dévasté à la fois troublant et étrangement stimulant.

– Alors, on se bouge ? demanda-t-elle, impatiente. On a une heure devant nous, pas l'éternité.

– Patience, Jen, lui rappela Ben. On doit d'abord attendre la combinaison de Cally, et la bombe.

Juste à côté d'Eddie le sol se mit à ondoyer, comme s'il devenait liquide. Des objets solides se matérialisèrent.

– Livraison express, commenta Eddie.

– OK, dit Ben en s'agenouillant près de la bombe. Lori, reste près de moi et assure-toi que je ne fais pas d'erreur. Les autres, reconnaissance rapide. Au moindre signe de Cally ou de Némésis, prévenez-moi aussitôt.

Ben se concentra sur le réglage de la bombe. Lori ramassa la combinaison destinée à Cally et observa son petit ami avec fierté. C'était le Ben qu'elle aimait. Déterminé. Motivant. Un vrai leader. Comment avait-elle pu être attirée par un imposteur comme Simon Macey ? Si jamais ils sortaient de là vivants, elle ferait tout pour se racheter auprès de Ben, se promit-elle.

– Alors, où est planquée cette grosse méchante araignée ? demanda Jennifer sur un ton sarcastique.

Eddie et Jake la rejoignirent.

– Ne t'inquiète pas, dit Eddie. Si elle est dans les parages, tu ne peux pas la louper. Mais laisse-moi te dire une chose : plus on restera en dehors de son chemin, mieux ça vaudra.

– Le virus doit déjà savoir qu'on est là, réfléchit Jake. Pourquoi n'attaque-t-il pas ?

– Peut-être qu'il ne nous considère pas comme une menace ? suggéra Eddie, en se demandant si c'était vraiment le cas.

– Jake, Eddie..., dit soudain Jennifer, dont la voix paraissait moins assurée. Qu'est-ce que c'est que ça ?

Au loin, quelque chose approchait. Cela s'écoulait sur le no man's land craquelé et bosselé comme une fine couche de pétrole ou de goudron, noire et bouillonnante. Une marée noire qui recouvrait tout sur son chemin.

Et dans quelques minutes, tout sur son chemin inclurait également l'équipe Bond.

– Ben ! appela Jake. Tu ferais mieux de te magner avec la bombe. On va en avoir besoin plus tôt que prévu.

– Tout va bien, c'est prêt, répondit Ben, triomphal. Alors, qu'est-ce qui se passe ? demanda-t-il tandis que Lori et lui se précipitaient à la rencontre de leurs coéquipiers.

La marée noire n'était en fait pas une substance homogène. Ils s'en rendaient compte à présent. Ce n'était pas un liquide, mais un grouillement de petites créatures, qui brillaient comme des blocs de charbon. Comme des insectes. Des araignées. Des milliers et des milliers de cyberaraignées qui fonçaient sur eux avec des intentions clairement hostiles. Némésis s'était fait de nouveaux amis.

– Elle a pondu. Elle s'est reproduite d'une manière ou d'une autre, déduisit Lori, horrifiée.

– Espérons que Cally est de l'autre côté, dit Eddie. D'ailleurs, je préférerais qu'on y soit nous aussi.

Ils se retournèrent.

Ils étaient cernés.

– Eh bien je crois que c'est le moment de tester les combinaisons, dit Ben d'une voix grinçante. En cercle. Tenez vos positions. Cramez-moi ces bestioles.

Ils n'avaient même pas besoin de viser. Leurs bracelets foudroyèrent les vagues d'assaillantes de particules d'anticodes exactement comme Gadget l'avait décrit, décimant les rangs ennemis de flammes virtuelles. Les cyber-corps se recroquevillaient, carbonisés, comme des feuilles sèches dans un feu de jardin. La puanteur des cadavres brûlés s'éleva dans l'air, polluant l'atmosphère.

– Ouais !

Eddie fut le premier à utiliser simultanément ses deux bracelets, balançant des salves d'anticodes zigzagantes avec désinvolture.

– Ouais !

Il commençait à se sentir beaucoup mieux.

Jennifer aussi se défoulait dans ce carnage, mais Ben contrôlait son envie de trop se laisser aller émotionnellement. Un leader se devait de garder la tête froide, même dans une situation de stress. Un leader devait anticiper et évaluer toutes les possibilités. Justement, une possibilité peu rassurante venait de lui apparaître.

Et si leurs bracelets venaient à manquer d'énergie ? Et si leurs réserves d'anticodes se tarissaient ? Et si la progéniture de Némésis continuait d'affluer ?

Les cyberaraignées n'étaient déjà plus qu'à quelques mètres d'eux.

– Économisez l'énergie ! cria Ben. On ne sait pas quelle réserve ont ces combinaisons. Servez-vous d'une arme à la fois !

– C'est toi le chef ! répondit Eddie. Mais on aurait plutôt besoin d'augmenter notre puissance de feu.

Un anneau de flammes protégeait à présent l'équipe Bond, carbonisant les cyberaraignées qui se jetaient aveuglément dedans. Mais il y en avait tellement... Elles n'arrêtaient pas d'arriver, comme des lemmings. Soudain, quelques-unes passèrent à travers les flammes et s'élancèrent sur les adolescents. Jake poussa un cri lorsque plusieurs d'entre elles se cognèrent contre sa poitrine. Il les secoua instinctivement pour s'en débarrasser. Mais ce n'était pas la peine. La combinaison, crépitante d'énergie anticodes, enflamma les créatures. Elles se ratatinèrent. Elles moururent. Mais elles étaient sans cesse remplacées.

Les cyberaraignées grimpèrent sur la visière de Lori, pour attaquer les yeux. Lori voyait leurs silhouettes frémissantes quelques secondes avant d'être aveuglée par leur combustion. Mais soudain, à sa stupéfaction, les créatures ne s'enflammèrent plus. Elles n'étaient même plus roussies. Elles s'accrochaient à sa combinaison, obscurcissant son champ de vision. Lori les balaya d'un geste de la main, mais s'aperçut que même ses bracelets anticodes paraissaient moins efficaces, perdaient de leur puissance de feu.

– Ben !

Les cyberaraignées grimpaient sur elle de toutes parts.

– Ma combinaison !

Sa visière était à présent totalement recouverte par ces choses. Elles allaient bientôt se creuser une ouverture dans le fin matériau et planter leurs crocs dans son visage.

– Ben ! cria Lori.

Tout à coup, elles n'étaient plus là. Ben la tenait dans ses bras, les autres étaient tout près et les cyberaraignées se repliaient, laissant derrière elles les restes carbonisés de leurs congénères.

Eddie poussa un soupir, à la fois soulagé et exténué.

– Hé, on a gagné la bataille ou quoi ?

– Pourquoi sont-elles parties ? voulut savoir Lori. Elles auraient pu nous submerger. Ma combinaison était à court d'énergie. Un peu plus et...

Elle frissonna.

– Ne t'inquiète pas, Lori. Les combinaisons se rechargent automatiquement, dit Ben.

Enfin, j'espère, pensa-t-il.

– Mais Lori a raison, reprit Jake. On était sur le point d'être submergés par le nombre. Je ne comprends pas pourquoi...

– Némésis n'est peut-être pas très bonne tacticienne, suggéra Jennifer. Ou elle ne s'est pas rendu compte qu'on était au bout du rouleau. Ou bien ce n'était que le premier assaut.

– Je crois que je préfère les options un et deux, dit Eddie.

– Si seulement...

Jake plissa les yeux. Il sentait un danger tout proche. Le sol sous leurs pieds se mit à trembler, comme au passage d'un métro souterrain, mais ce n'en était pas un.

Les membres de l'équipe Bond furent projetés en l'air comme un jeu de quilles lorsque la chaussée s'ouvrit et que Némésis fit irruption parmi eux.

Ils se battaient pour sauver leur peau, le directeur Grant le savait. Ils se battaient aussi pour sauver leur amie, et peut-être pour sauver d'innombrables autres gens, des gens qu'ils ne connaissaient même pas, de la folie de Némésis. Pourtant, il était impossible de s'en rendre compte, en regardant leurs corps reposant paisiblement dans les cyber-cocons, des corps que Grant renverrait chez eux dans des cercueils si la mission tournait mal. Et les choses pouvaient mal tourner, tout comme elles pouvaient bien tourner. Un entraînement à Spy High n'était pas une garantie de survie.

Certains agents survivaient, raisonna Grant. Certains agents mouraient. Et certains ex-agents devaient endurer une existence quelque part entre les deux. Comme lui. La partie supérieure de son corps, faite de chair, de sang et d'os, était vivante, mais ses jambes étaient synthétiques – elles l'étaient depuis sa dernière mission sur le terrain et l'explosion qui avait mis fin à sa carrière. En réalité, le directeur Grant n'était un homme qu'à moitié.

Il se passa la main dans les cheveux. Il ne pouvait donc qu'attendre. Il devait rester là, dans la salle de réalité virtuelle, à imaginer les dangers qu'affrontaient ses étudiants. Il pouvait prier pour eux, mais ne pouvait rien faire d'autre pour les aider. Il était impuissant. Pour un homme comme lui, la position de simple spectateur était presque insupportable. Il devait pourtant s'en contenter. C'est ce à quoi il avait été réduit. Il devait attendre.

Les membres de l'équipe Bond se battaient pour sauver leur peau, le directeur Grant le savait. Comme il les enviait...

Ils se figèrent et regardèrent, bouche bée. C'était compréhensible. La soudaine apparition d'un supervirus informatique conscient sous la forme approximative d'une araignée de quatre mètres de haut aurait été suffisante pour laisser bouche bée n'importe qui. Seulement, les membres de l'équipe Bond n'étaient pas censés réagir comme n'importe qui. Ils avaient normalement été formés pour s'attendre à l'inattendu, pour ne rien laisser les déconcerter ni retarder leur mission. Car pour l'équipe Bond, le moindre retard pouvait se révéler fatal. Et la mort instantanée.

Lori eut juste le temps d'enregistrer la stature énorme de Némésis et les énergies noires qui crépitaient dans ses yeux, sur son abdomen, et le long de ses huit pattes affilées comme des rasoirs. La tête du monstre pivota, comme s'il jaugeait la puissance de ses ennemis. Elle n'eut pas le temps de chercher à s'échapper. Elle n'eut pas le temps de bouger du tout.

Une des pattes de Némésis la cingla de plein fouet. Le coup l'emporta et la projeta en l'air. Elle retomba sur la route craquelée et crut qu'elle était morte. La cyber-chair avait lui comme un sabre. Elle aurait dû être coupée en deux. Mais ce n'était pas le cas. Sa combinaison l'avait protégée. Elle était vivante.

Et si elle était vivante, elle pouvait se battre.

Lori se remit sur ses pieds. Les autres faisaient déjà feu sur Némésis, tout en opérant une retraite stratégique dans sa direction. Les flammes léchaient les plaques d'acier de la cyberaraignée, mais aucune ne la ralentissait, aucune ne prenait sur sa carapace. Lori sentit l'énergie revenir dans sa combinaison. Ben avait vu juste. Les anticodes se rechargeaient automatiquement. À présent, c'était à elle de jouer.

Lori concentra toute sa colère sur Némésis. Elle fit feu. Les flammes explosèrent sur l'abdomen du virus.

– Bien visé, Lori ! cria Ben. Ça va ?

– Ça irait mieux si on pouvait stopper cette chose.

– On l'a blessée ! s'exclama Jake – ce que confirmaient sans aucune doute les cris perçants que lançait Némésis. Mais ce n'est pas suffisant. On est sur son territoire ici, juste à la source de son pouvoir. Et on manque de puissance de feu.

– Quand est-ce que ce monstre va finir par tomber ? s'écria Jennifer.

Elle plongea aussitôt et roula sur elle-même pour éviter les pattes avant de l'araignée qui fauchaient l'air vicié. L'équipe Bond se dispersa, se regroupa et fit feu à nouveau.

Ils pouvaient sans doute passer tout le temps qui leur était imparti à faire la même chose, sans plus de résultat. Ce qui signifiait que cela n'allait les mener nulle part, raisonna Ben. Ce face-à-face avec Némésis ne les aiderait pas à localiser Cally. Ils – lui – avaient besoin de reprendre l'initiative.

Il pria pour que les combinaisons VIPR tiennent les promesses que Gadget leur avait faites.

– Ben ! s'écria Lori. Attends !

Pourquoi se précipitait-il droit sur le virus ?

– Allez, approche, sale bestiole ! Viens m'attraper ! Montre-moi ce que tu as dans le ventre !

Et je te montrerai ce que moi, j'ai dans le ventre, promit Ben intérieurement.

– Il est fou ! dit Eddie, abasourdi. Il a perdu la tête !

– Alors donnons-lui un coup de main au lieu de causer, lança Jennifer en repartant à l'attaque.

– Non, attends, Jennifer ! la retint Jake. Ben sait ce qu'il fait.

Même Némésis sembla surprise qu'un des intrus vienne si généreusement se livrer à son inéluctable destin. La forme organique se tenait à présent à portée de ses électrodes, lançant des cris de défi et la menaçant des poings, mais sans tirer les flammes qui la picotaient. Un comportement si téméraire ne correspondait pas aux données que Némésis avait recueillies sur l'espèce humaine. Une démonstration si futile de bravade n'était pas logique. Elle méritait d'être punie.

La tête de Némésis tomba comme la lame d'une guillotine. Sa gueule se referma sur Ben jusqu'à la taille.

À l'exception de Jake, tous poussèrent un cri d'horreur.

– Tenez-vous prêts ! les avertit Jake.

Et la tête de Némésis explosa.

Des morceaux de crâne, de cerveau et d'yeux volèrent en tous sens en sifflant comme lors d'un court-circuit. Ce qui restait de la tête de la cyberaraignée recula en tremblant, tandis que Ben faisait de nouveau feu, désintégrant la gueule du monstre. Sa combinaison était trempée d'un sang noir comme du pétrole, mais il semblait indemne.

– Finissons-le ! ordonna Jake. Maintenant !

Le reste de l'équipe Bond attaqua le virus chancelant en tirant furieusement. Némésis paraissait à présent incapable de maintenir sa forme de prédilection. Les pattes fragilisées se brisèrent. L'abdomen cuirassé se craquela en laissant jaillir un liquide sombre. Le feu purificateur des particules anticodes exerça son action sur le corps grotesque de la créature.

Et Némésis s'écroula sur le sol, dévorée par les flammes.

– On l'a eue ! s'écria Jennifer. On t'a tuée. *On t'a tuée !*

Lori courut à la rencontre de Ben. Il vacillait. Elle l'attrapa et l'aida à se mettre à genoux.

– Ben... (Elle aurait voulu l'embrasser, mais leurs visières les en empêchaient.) Mon Dieu! Tu aurais pu être tué. Qu'est-ce qui t'a pris?

– C'était vraiment dégoûtant, dit Eddie, avec une grimace appropriée.

– C'est la chose la plus courageuse que j'ai jamais vue, dit Lori en se retournant vers Eddie.

– Oui, bon, se reprit Eddie, c'est ce que je voulais dire, Lori. La chose la plus courageusement dégoûtante que j'ai jamais vue.

Il pensait en son for intérieur: *Voilà pourquoi Ben est le leader et moi un moins-que-rien tout juste bon à lancer des vannes.* Et il se demanda: *Serais-je capable d'en faire autant? Pourrais-je risquer ma vie pour les autres, pour l'équipe? Sinon, qu'est-ce que je fous là? Quand aurais-je l'occasion de faire mes preuves?*

– Voilà ce que j'appelle un coup décisif, dit Jake sans cacher son admiration. Beau travail, Ben.

– Merci.

La combinaison de Ben s'autonettoyait progressivement des restes de Némésis. Il en était presque plus ravi encore que de la réussite de son plan.

– Je me suis dit que la seule manière de venir à bout de Némésis était de s'approcher suffisamment près pour percer ses défenses.

– Ça, il n'y avait pas plus près que l'intérieur de sa gueule, dit Jake avec un petit rire. Tu as toujours été un type dur à avaler, Ben.

– En tout cas, ne me demandez pas de répéter cette performance, dit Ben.

– On n'en aura pas besoin, dit Lori.

– Oh! les gars.

C'était la voix de Jennifer. Elle paraissait inquiète.

– Je ne parierais pas là-dessus à votre place. Il se passe quelque chose. Quelque chose de mauvais.

Némésis vivait. Du moins, certaines parties de Némésis semblaient être toujours vivantes. Comment expliquer autrement le fait qu'elles bougent toutes seules – cette vision troublante de morceaux indépendants allant à la rencontre les uns des autres et fusionnant, les circuits cherchant les circuits, les membres se recomposant et s'étendant ?

– Elle se reconstruit toute seule, observa Jennifer, stupéfaite. C'est une cyber-résurrection.

– Alors détruisons-la de nouveau avant qu'elle ne retrouve toute sa tête.

Eddie semblait prêt à donner l'exemple.

Ben se remit debout en s'appuyant sur Lori. Il secoua la tête, d'un air abattu.

– Ça ne sert à rien, Eddie. Ça ne marche pas. Quoi qu'on fasse, on ne peut pas la détruire, pas complètement en tout cas, à part avec la bombe.

– Alors que fait-on, Ben ?

Jennifer regardait les pattes s'emboîter ensemble comme des piquets, tandis que l'abdomen de la créature enflait comme un ballon.

– On n'a pas le choix, décida Ben. Laissons la bombe régler son compte à Némésis. On ne peut pas la tuer, mais elle ne peut pas nous tuer non plus, avec nos combinaisons. Alors trouvons Cally. Tout de suite.

Ils s'élancèrent rapidement dans le paysage de ruines, même si Jennifer ne put résister à un dernier geste d'adieu. Un groupe de globes oculaires se faufila près de ses pieds pour rejoindre le reste de la tête de Némésis. Une petite salve d'anticodes les réduisit en cendres.

– Prends ça, grommela-t-elle.

Ils se déplacèrent en ligne afin de couvrir le maximum de terrain, se frayant un chemin à travers les vestiges de la cité détruite et restant en contact constant les uns avec les autres grâce à leurs communicateurs de casque. Il était toujours rassurant de pouvoir parler en mission, même si la plupart du temps la conversation se limitait à des soupirs, des monosyllabes, ou les deux.

– Attention où vous mettez les pieds, murmura Ben. Il y a beaucoup de trous et de débris. Si vous tombez, c'est foutu. Nos combinaisons ne réparent pas les jambes cassées.

Eddie se demanda ce qui se passerait si l'un d'entre eux avait un accident parmi les ruines : Ben poursuivrait-il la mission sans s'en occuper ? Il en doutait, mais il se sentait quelque peu mis à l'écart par sa position à l'extrémité de la ligne. Il ne devait pas mal l'interpréter, il le savait. Après tout, il y avait une autre extrémité, où se trouvait Jennifer, mais quelque part il ne pouvait s'empêcher de se sentir éloigné du cœur de l'action. Peut-être que s'il réussissait à repérer Cally, tout irait mieux.

Mais même cette opportunité lui échappa.

– Ben ! Vous tous ! s'exclama Jennifer à haute voix. Venez ici ! Venez ici !

Évidemment. C'était Eddie qui était le plus éloigné.

– Qu'y a-t-il ? dit la voix de Ben. C'est Cally ?

– Je crois.

La consternation était sensible, même à travers le communicateur.

Elle croyait ? Désespéré, Eddie crapahuta à toute vitesse sur les blocs de béton des immeubles en ruine. Elle croyait ? Qu'avait pu voir Jennifer ? À quelles horreurs avait-il abandonné Cally ?

Il entendit les réactions de ses coéquipiers, une par une à mesure qu'ils rejoignaient Jennifer.

– Oh ! mon Dieu... C'est impossible... Ben...

Il les voyait devant lui à présent, tous tapis, penchés au sommet d'un amas de décombres. Regardant Cally ? Il les rejoignit en courant.

– Qu'y a-t-il ? Qu'y a-t-il ?

– Eddie, baisse-toi ! ordonna Ben.

Eddie se plaqua au sol. Il vit les visages blêmes de Ben et de Jake, l'expression de dégoût et d'horreur sur ceux des filles. Il pencha la tête pour voir.

Et il comprit.

14

Cally était suspendue dans ce qui avait un jour été un encadrement de porte, creusé dans ce qui avait un jour été un mur. Un de ses bras était au-dessus de sa tête, presque comme pour leur dire bonjour, tandis que l'autre pendillait dans le vide. Ses jambes étaient tordues, comme celles d'une poupée brisée, et aucune ne touchait le sol. Elles n'en avaient pas besoin. Cally était retenue dans cette position par une toile qui avait été tendue entre les montants de porte, une toile dans laquelle elle était prise au piège, une toile qui aurait pu être l'œuvre d'une araignée si ce n'était le courant électrique qui semblait la parcourir et le fait que la toile semblait tissée de fils ou de câbles électriques.

Pire encore, le sol autour de Cally grouillait de cyber-araignées, groupées au pied de la toile, rampant sur les restes du mur de brique, allant jusqu'à grimper sur les jambes de Cally qui ne bronchait pas, formant sur sa peau des taches noires qui évoquaient quelque atroce maladie.

Et pour couronner le tout, Némésis dominait Cally de toute sa taille. Le virus était indemne. Ressuscité. Les calculs qui défilaient dans les fenêtres de ses yeux reconstitués semblaient ne dire qu'une chose : voici l'appât.

Mais le pire de tout était la condition apparente de Cally. Sa tête pendait, affalée.

– Elle ne bouge pas, dit Lori, prononçant les mots auxquels tous pensaient. Ben, et s'il était trop tard ? Et si Cally... tu sais...

– Il n'est pas trop tard, dit Ben qui refusait d'admettre cette réalité. Elle est juste inconsciente. Il suffit qu'on la libère de cette toile, qu'on lui enfile sa combinaison et qu'on rentre à la maison. Après, la bombe réduira cet endroit en cendres.

– Mais il faut faire vite, lui rappela Jennifer. Comment se débarrasser de Némésis ?

Ben cogita à toute allure.

– Il nous faut une diversion. Si on se sépare en deux groupes – Lori et moi d'un côté, toi, Jennifer, Jake et... Eddie ?

Aucun signe de lui.

– Où est-il passé ?

– Je n'ai pas remarqué. Il était là et...

– Si c'est encore une de ses plaisanteries stupides..., commença Ben.

– Je ne pense pas, estima Jake. Je crois que nous avons notre diversion. Regardez.

C'était sa chance. Aussitôt qu'il avait vu Cally prisonnière de la toile de Némésis, au milieu de ces insectes répugnants, il l'avait su. C'était le moment pour Eddie Nelligan de faire ses preuves, de se racheter. Il n'allait pas le manquer.

Il se faufila sans attirer l'attention des autres, occupés à observer Némésis et Cally. Il pouvait faire la différence s'il le voulait. Il avait pensé qu'il fallait créer une diversion avant même que Ben prononce le mot, et il sut tout de suite quel genre de diversion aurait une chance de marcher. Eddie s'éloignait de ses coéquipiers. Il ne suffirait pas que lui ou quiconque détourne l'attention de

Némésis. Le virus savait qu'ils ne pouvaient pas être blessés dans leurs VIPR. Mais si la combinaison était désactivée, Némésis serait peut-être tentée de s'éloigner de Cally.

Eddie sortit à découvert et se fraya un chemin dans la zone dévastée où était retenue Cally. Ses jambes tremblaient, peut-être à cause des débris qui parsemaient le sol inégal, ou peut-être pas. À présent, Némésis pouvait fondre sur lui d'un instant à l'autre.

– Eddie, qu'est-ce que tu fabriques? cria Ben dans le communicateur. Baisse-toi, Eddie. Elle va te voir... Tu m'entends, Eddie? Mets-toi à couvert. C'est un ordre...

Mais pour Eddie, il n'était plus temps d'obéir aux ordres.

– Détends-toi, Ben, dit-il, loin d'être lui-même détendu. Tu vas finir par nous faire un ulcère. Je vais entraîner Némésis à l'écart; pendant ce temps, occupez-vous de Cally. À plus tard.

L'espion qui souriait. L'éternel optimiste.

– Eddie, ce n'est pas...

Il désactiva le communicateur. Il désactiva la combinaison.

Némésis le sentit immédiatement. Elle leva la tête comme un animal qui reniflerait une nouvelle odeur. Quelque chose s'était modifié dans le monde virtuel, qui semblait à l'avantage du virus.

Eddie lui donna un coup de pouce.

– Hé, mocheté! C'est l'agence de location de victimes qui m'envoie. T'as été en contact avec...

Il ne finit pas sa phrase. Toute la force de la haine de Némésis lui déferla dessus comme un train-lumière lancé à pleine vitesse. Eddie tomba à genoux, les mains sur les oreilles; il ne s'entendait même pas hurler. Plus de protection. Plus d'anticodes pour l'isoler de l'attaque psychique.

Presque aveuglé par la douleur, il aperçut le virus qui s'avançait vers lui. S'il ne se relevait pas, s'il ne bougeait pas fissa, cette blague sur la location de victimes pourrait bien devenir son épitaphe.

Eddie se remit debout, fit demi-tour et courut, regrettant de ne pas avoir d'aéromoto sous la main. Il ne se retourna pas. Cela ne lui remonterait pas le moral de voir Némésis fondre sur lui comme un ange de la mort à huit pattes. Et puis il devait regarder où il mettait les pieds – les empilements de débris traîtres, les trous béants, les ruines à moitié écroulées. S'il se ramassait, il ne s'en relèverait pas.

Il espérait que les autres étaient avec Cally à présent. Il leur avait offert une ouverture.

Eddie se précipita dans un bâtiment dont l'entrée était trop étroite pour que Némésis puisse le suivre. Le mur de l'immeuble tenait toujours debout. Némésis devrait faire le tour. Ce qui la ralentirait.

Seulement, ça ne la ralentit pas. Le virus fonça à travers le mur et continua d'avancer.

Peut-être que ce n'était pas une si bonne idée après tout. Mais il avait entraîné la créature suffisamment loin à présent, non? Il pouvait sûrement se permettre de réactiver sa combinaison.

Le sol s'ouvrit sous ses pieds. Eddie poussa un cri, tenta de se rattraper, sentit le monde s'évanouir, une musique résonna dans sa tête puis ce fut le bruit sinistre de l'impact.

Eddie gémit. Il était tombé dans une sorte de cave, allongé sur le dos. Il essaya de bouger. Ses jambes étaient coincées sous une plaque de béton. Au moins, elles n'avaient pas l'air cassées. Et ses bras étaient libres de leurs mouvements. Tout ce qu'il avait à faire, c'était de réactiver sa combinaison et d'attendre les autres, ou bien le transfert. Ce n'était plus qu'une question de minutes à présent.

Tout ce qu'il avait à faire, c'était de réactiver sa combinaison...

Tout ce qu'il avait à faire...

Tout... rien.

Sa chute avait dû abîmer la combinaison. Rien ne se passait.

– Eddie, ce n'est pas la bonne méthode. Reviens... Il a coupé la communication.

Ben se retourna vers les autres, l'air stupéfait, comme si l'outrecuidance d'Eddie, qui avait osé lui raccrocher au nez alors qu'il lui donnait des ordres, était le plus choquant de tout.

– Némésis l'a vu, observa Jennifer. Elle le poursuit !

– Alors là, il est soit plus stupide, soit plus courageux qu'on ne l'aurait cru, commenta Jake.

– Nous devons aller à sa rescousse, dit Lori qui s'était déjà relevée.

Ben lui attrapa le bras, gentiment mais fermement.

– Non. Eddie a pris sa décision. Notre priorité, c'est Cally. Descendons la délivrer avant que Némésis ne revienne de sa chasse...

Ils n'avaient plus d'intérêt à se dissimuler. Poussant un cri de guerre, les quatre membres de l'équipe Bond se jetèrent dans la cuvette et foncèrent vers la silhouette captive de Cally. Leurs bracelets à anticodes se déchaînèrent. La moitié des cyberaraignées fut carbonisée avant même que leurs cerveaux informatiques aient enregistré l'attaque. Les autres se précipitèrent à la rencontre de l'ennemi.

– On protège Lori ! ordonna Ben. Elle a la combinaison de Cally. On l'encadre.

Il prit lui-même les devants, Lori se positionnant derrière lui, Jake et Jennifer sur ses flancs. Les flammes d'anticodes ouvrirent une voie vers l'encadrement de porte. Des cyberaraignées se jetaient du haut du mur : la précision des tirs de l'équipe Bond les transformait en boules de feu.

Ben découpa la toile. Lori rattrapa Cally dans sa chute et l'allongea avec précaution sur le sol. Elle s'agenouilla près de son amie, inquiète, écarta les cheveux qui lui recouvraient le visage, l'appela par son nom et pria pour qu'elle soit en vie. Mais Cally était glacée et inanimée. Cela ne s'annonçait pas bien.

– Comment va-t-elle, Lori ?

Ben et les autres faisaient cercle autour d'elles, tenant à distance les cyberaraignées survivantes.

– Je ne sais pas. Je ne sais pas, répéta Lori tout en frottant les mains glacées de Cally et en la prenant dans ses bras pour la réchauffer. Cally, tu m'entends ? Cally ? Ben, elle ne répond pas. Je ne sais plus quoi faire !

– Enfile-lui la combinaison, dit Jake.

Lori déroula la combinaison VIPR et glissa maladroitement les membres de Cally à l'intérieur. Elle avait l'impression d'habiller une poupée trop grande et peu maniable.

– Allez, Cally, murmurait-elle. Allez, parle-moi. Dis quelque chose.

Même revêtue de la combinaison, Cally restait inerte, silencieuse.

– Jake, ce n'est...

Il y eut un toussotement, un léger mouvement de la tête et un tremblement de cils.

– Cally ! Les gars, elle est vivante ! s'écria Lori en serrant son amie avec ardeur. Cally, tout va bien. Tout va bien se passer.

– Regardez par là, dit Jake.

Il cessa le feu. Ben et Jennifer firent de même. Le sol autour d'eux était jonché de corps carbonisés et fumants. Plus personne ne leur barrait le chemin.

– Ouais, mais ne perdons pas de temps à compter les araignées, dit Ben, prudent. Pas tant qu'on n'aura pas mis tout le cyberespace entre nous et Némésis.

Il consulta la montre insérée dans sa combinaison.

– Et ce devrait être dans trois minutes.

Jake sourit.

– Ce qui nous laisse juste le temps de saluer la Belle au bois dormant qui est de retour dans le pays des vivants. Hé, Cally, comment te sens-tu ?

Elle était faible et désorientée, mais rien de plus grave, semblait-il. Les médecins l'examineraient à fond lorsqu'ils seraient de retour à l'école, se dit Ben. Il ne s'agenouilla pas à côté d'elle comme les autres. Il préféra leur tourner le dos et scruter la cité ravagée. Ben pensait qu'un leader ne devait pas manifester ses émotions.

– Que... que s'est-il passé ? demanda Cally d'une voix inquiète en agrippant la main de Lori. Où sommes-nous ?

– Aucune importance. Détends-toi, Cally, lui conseilla Lori. Tout va bien.

Mais Cally n'avait pas l'air convaincu. Ses yeux passaient d'un de ses coéquipiers à l'autre.

– Eddie, dit-elle. Je me souviens... Eddie était là. Où est-il ? Où est Eddie ?

Les membres de l'équipe Bond échangèrent des regards coupables. C'était une bonne question.

Peut-être que tout irait bien, après tout. Peut-être que Némésis perdrait sa trace et passerait près de lui sans le voir. Peut-être qu'il n'aurait rien d'autre à faire que de rester tranquillement allongé et de tuer le temps en attendant le transfert...

Ouais, c'est ça, et peut-être que je verrais voler des cochons dans le ciel.

Eddie poussa de nouveau sur la plaque de béton qui immobilisait ses jambes. Arnold Schwarzenegger III levait sans doute des poids équivalents tous les matins avant le petit déjeuner sans même suer une goutte, mais les haltères n'avaient jamais été le fort d'Eddie Nelligan. Et il était un peu tard pour s'y mettre.

Si Némésis le dénichait avant le transfert, il était mort.

Mais étrangement, quelque part, Eddie ne ressentait pas l'envie de crier ou de fondre en larmes ou de se mettre à prier. Il se sentait satisfait, content de lui. Il avait fini par faire ses preuves, après tout, vis-à-vis des autres et de lui-même. Ils devaient avoir sauvé Cally à présent. Il ne doutait pas de leur réussite. Son sacrifice – si ce devait être un sacrifice – n'aurait pas été vain.

Peut-être que tout irait bien, après tout.

Sauf que non. Une ombre recouvrit la cave comme une éclipse. Une forme noire se découpa sur le ciel. Némésis le fixa du regard et la jubilation haineuse de la créature déferla sur l'esprit d'Eddie, le déchirant comme des griffes. Il ne crierait pas. Il ne donnerait pas ce plaisir à Némésis.

Combien de temps jusqu'au transfert ? C'était sans doute une question de secondes. Si seulement il parvenait à retarder le virus, à jouer la montre.

– Attends ! Ne fais pas ça ! Écoute-moi ! Je peux t'aider !

Némésis ne se laissa pas prendre. Une patte effilée comme un javelot titanesque s'éleva au-dessus d'Eddie, réglant sa trajectoire avec une précision sadique.

La dernière fois, Némésis s'était contentée de l'écarter comme un moustique insignifiant. Cette fois, il n'aurait pas tant de chance.

Lorsqu'elle s'abattrait sur lui, la patte de la créature le toucherait juste au-dessus du nombril et s'enfoncerait dans son corps pour ressortir par le dos. Il serait épinglé comme un insecte.

Transfert. *Transfert !*

Eddie ne put s'en empêcher. Il fallait qu'il crie.

Il sentit un frisson parcourir ses os.

La mort s'abattit droit sur lui.

Quelqu'un en ce monde aimait Eddie Nelligan. Il n'y avait pas d'autre explication. Parce que, au lieu de Némésis le transperçant d'un coup de patte fatal, ce furent des mains humaines qui se posèrent sur lui pour l'aider à s'extirper de son cyber-cocon. Son cri se transforma aussitôt en hurlement de rire. Le transfert avait eu lieu juste à temps, comme à l'habitude. Il était de retour dans la salle de réalité virtuelle. L'espion qui souriait ? Pour le moment, il était l'espion en un seul morceau, et cela lui suffisait amplement.

Mais qu'en était-il des autres ? Et de Cally ?

– Eddie ! Tu vas bien ?

Lori s'approchait déjà de lui, entourée de son propre groupe de techniciens à l'air soucieux. Elle semblait contente de le voir. Vraiment. Elle le prouva en le prenant dans ses bras et en le serrant fort contre elle. S'il avait été plus rapide pour ôter sa visière, il aurait sans doute eu droit à un baiser dans la foulée.

– On était tellement inquiets. Tu as été si courageux.

– Bah oui, je dois être fait comme ça, dit Eddie avec modestie.

Il remarqua alors les infirmiers qui s'activaient dans la salle, portant une civière et de l'oxygène.

– Cally ?

– Elle est faible, mais elle va s'en sortir, dit Lori. Viens.

Elle avait effectivement l'air faible lorsque les infirmiers la sortirent du cyber-cocon pour la mettre sur la civière. Ben, Jake et Jennifer suivaient l'opération avec des mines anxieuses.

– Bienvenue, Eddie, dit Jake, ne s'autorisant qu'un demi-sourire.

– Eddie ?

Cally semblait hébétée, à peine consciente.

– Eddie.

Elle tendit la main vers lui. Eddie la prit dans les siennes et la serra pour la réconforter.

– Merci d'être revenu.

– Bah, je ne pouvais pas te laisser comme ça, dit Eddie en souriant. Tu me devais encore un rendez-vous.

Cally eut un sourire somnolent.

– Je te dois plus que ça, Eddie.

– OK, ça suffit, dit un médecin. On doit l'emmener à l'infirmerie pour l'examiner. On est prêts ?

Ils emmenèrent Cally sur sa civière. Elle avait déjà l'air endormi. Mais c'était bon signe : le sommeil était réparateur. Et le sommeil n'était pas le coma.

– Eddie, dit Ben en lui prenant le bras. Ce coup que tu as fait avec Némésis... qu'est-ce que tu cherchais à prouver ?

– Ben, je...

– Bon, quelle importance après tout ? Dans tous les cas, tu l'as prouvé.

Et il serra la main d'Eddie. Chaleureusement.

Eddie se demanda un instant s'il n'était pas encore dans la réalité virtuelle. Ben Stanton qui lui serrait la main ? Cela ne pouvait pas être réel, non ? Et voici qu'arrivaient le directeur Grant et le caporal Keene, avec l'air de vouloir se joindre aux congratulations. La voix d'un technicien en provenance de la salle de contrôle résonna dans toute la pièce :

– La bombe a explosé. Les particules anticodes ont réussi. Le scénario virtuel et tout ce qui était dedans ont été éliminés.

Le danger avait disparu. La menace était écartée. Le monde était sauvé. N'était-ce pas trop beau pour être vrai ?

Malheureusement, Eddie avait raison.

Les cyber-cocons se mirent à vibrer, les mécanismes clignotèrent, crachant des étincelles comme lors d'une surcharge électrique.

– Ils sont censés faire ça ? demanda Eddie.

– Reculez ! prévint Ben.

Instinctivement, l'équipe Bond se regroupa.

– Que se passe-t-il ?

Ben demanda au technicien le plus proche :

– Cela a quelque chose à voir avec la bombe ?

Le technicien désemparé semblait ne pas en avoir la moindre idée.

Les cyber-cocons continuaient à être secoués, comme si quelque chose à l'intérieur luttait pour en sortir, comme si quelque chose d'énorme et de puissant tentait de naître. Les couvercles de verre explosèrent. Des éclairs de lumière jaillirent vers le plafond, obligeant les personnes présentes à reculer. Un cri perçant leur vrilla les tympans.

Un son que l'équipe Bond avait déjà entendu auparavant.

– Bon Dieu ! comprit Jennifer, stupéfaite. C'est Némésis ! Elle passe par ici !

C'était bien le cas. Entre les rayons de lumière l'atmosphère s'obscurcit, se mit à prendre d'étranges aspects, qui se matérialisèrent en une substance sombre et solide.

Dans la salle de réalité virtuelle, une araignée cybernétique géante prenait forme.

– Elle nous a suivis, dit Jake, hébété.

Elle m'a suivi, pensa Eddie sombrement. C'était de lui que Némésis était le plus proche au moment du transfert. Alors il n'avait pas sauvé le monde après tout. Il l'avait condamné.

Les pattes s'allongèrent, l'abdomen se gonfla, la tête se constitua.

– C'est impossible, fit quelqu'un – ce qui n'allait pas les aider beaucoup.

– Coupez tout ! cria soudain Ben. Tout. Éteignez toutes les machines ! Elle se nourrit d'énergie et l'utilise pour se matérialiser. Coupez le courant et Némésis sera tuée !

Grant aboya l'ordre :

– Éteignez tout ! Maintenant !

Les techniciens dans la salle de contrôle l'entendirent et obéirent. La salle de réalité virtuelle fut plongée dans l'obscurité. Némésis poussa un nouveau cri. C'était une ombre parmi les ombres à présent, l'étoffe froide des cauchemars.

– Crève ! jubila Jennifer.

Mais tout en se tortillant et en criant à mesure qu'il semblait sentir la vie s'écouler hors de lui, le virus jeta un regard haineux sur ses ennemis. Lori vit le mal absolu briller dans ses yeux. Ils n'eurent pas le temps de s'enfuir lorsque la créature fonça sur eux, son corps s'affaissant de toute sa hauteur. Une masse énorme, écrasante.

Par réflexe, Lori se recroquevilla et leva les mains pour se protéger.

Et la silhouette de Némésis s'écroula sur eux, fragile et inoffensive. C'était comme un fantôme. Lori tressaillit sous l'impact glacial, comme si elle avait soudain été mise dans un freezer, mais l'effet ne dura pas. Sans l'apport d'énergie, sans la nourriture du cyberespace, le virus ne pouvait plus subsister. Il y eut l'écho final d'un hurlement lointain, comme un parasite, un feed-back.

Némésis n'existait plus.

– On peut rallumer les lumières ici? dit la voix de Grant.

La lumière inonda la pièce comme l'espoir revenu. Les cyber-cocons étaient brisés mais ils pouvaient être reconstruits. L'important, c'était que Némésis avait été détruite. Les membres de l'équipe Bond se regardèrent comme s'ils avaient encore du mal à y croire. Pendant un moment, il n'y eut que le silence. Puis des cris de joie, des accolades et des tapes dans le dos. Même le caporal Keene, sans quitter son air bourru, se mêla aux félicitations collectives.

Lori embrassa Jake, le seul parmi tous les coéquipiers qui n'avait pas l'air extasié, mais plutôt sombre. Elle croyait savoir pourquoi. Elle lui serra discrètement les mains, car ils partageaient un secret. Ils s'étaient peut-être débarrassés de Némésis, mais un problème demeurait.

Il était temps de s'occuper de Simon Macey.

15

– Je suis tellement content que tu ailles bien, Lori, dit Simon Macey. J'étais vraiment inquiet. Je ne sais pas ce que j'aurais fait s'il t'était arrivé quelque chose.

Va te faire voir, Macey, pensa Lori.

– Oh ! Simon, minauda-t-elle. C'est vrai ?

– Bien sûr que c'est vrai. Tu sais à quel point tu comptes pour moi, Lori.

Un autre jour. Un autre rendez-vous clandestin. Une autre salle de classe. Mais ils devraient être sur une scène, pensa Lori. Un théâtre aurait été plus approprié pour accueillir leurs deux performances, si visiblement factices. Si jamais l'espionnage ne marchait pas, Simon et elle pourraient toujours se reconvertir dans la comédie.

À présent il s'approchait d'elle, avec son sourire désarmant. Il allait poser ses mains sur elle et elle allait devoir les supporter. Cela faisait partie du plan.

– En fait, dit Simon, quand j'ai appris que tu risquais ta vie en combattant le virus Némésis, j'ai compris que je ne pourrais jamais vivre sans toi. C'est la vérité.

– Je te crois, Simon.

Plutôt crever.

Les mains. Sur ses épaules. Ce sourire lubrique comme un masque à quelques centimètres de son visage. D'ici, elle pourrait sans problème lui casser le nez – un bon moyen d'effacer son sourire. *Maîtrise ta colère, Lori. Joue l'Ange. Rappelle-toi ton rôle.*

– Et... Simon, je ressens la même chose.

– Vraiment ?

– D'avoir frôlé la mort de si près m'a fait réfléchir, ça m'a éclairci l'esprit. J'ai vu clair en toi, Simon, peut-être pour la première fois. (*Espèce de salaud répugnant !*) Je sais maintenant que c'est avec toi que j'ai envie d'être... Non, laisse-moi finir. Je pense que ce ne serait pas juste envers les autres de le faire savoir avant la dernière épreuve, mais après cela, je veux que tout le monde sache ce qui se passe entre toi et moi.

– Oh ! Lori, dit Simon Macey, après ils le sauront.

Ensuite ils allaient s'étreindre (ce qu'ils firent). Elle allait devoir supporter qu'il la serre contre lui (ce qu'elle fit). Et ses mains qui la pelotaient comme un agent des douanes à la recherche de stupéfiants. Caressant sa nuque, sous ses cheveux. Et il y eut les baisers, aussi, en nombre (elle prendrait un bain de bouche de retour dans sa chambre).

– Lori, dit Simon, tu ne peux pas savoir combien tu me rends heureux.

Lori eut un sourire angélique.

– Simon, dit-elle, le meilleur est encore à venir.

– Il n'a pas essayé de te convaincre de saboter nos efforts lors de la dernière épreuve, ou de lui livrer des informations sur notre stratégie ? demanda Jake, assis, pensif, sur le lit de Lori.

– Rien de la sorte, non, répondit Lori de la salle de bains. À moins que j'aie été tellement pressée de partir que ça m'ait échappé.

Elle apparut en peignoir, une serviette enroulée autour de ses cheveux mouillés.

– J'avais besoin de prendre une douche. Pour effacer l'odeur d'hypocrisie.

Jake s'efforça de ne pas poser les yeux sur la peau nue de Lori.

– Bon, il va forcément essayer de t'utiliser, d'une manière ou d'une autre.

– Ça, c'est certain. Et la perspective ne me ravit pas.

Lori noua la serviette autour de ses cheveux comme un turban.

– Pourtant il a bien dû dire quelque chose. Il a dû faire quelque chose, dit Jake en se levant et en faisant les cent pas dans la pièce. C'était une occasion en or, et Macey ne l'aurait pas laissé passer.

– Je te gêne peut-être, Jake ? Si tu veux attendre dehors, le temps que je m'habille, j'en ai pour une minute.

– Non, pas de problème, dit Jake en clignant des yeux sous le regard légèrement amusé de Lori. Je veux dire, on n'a pas tellement de temps. Cally est encore à l'infirmerie, mais Jen pourrait arriver d'un instant à l'autre et je suis sûr qu'elle n'a aucune envie de me voir là.

– Non ? D'après ce que Cally m'a raconté sur ce qui s'est passé dans le dôme, je croyais que vous deux étiez sur le point de sortir ensemble. Vous aviez l'air très proches.

Jake haussa les épaules.

– Parles-en à Jennifer. Comprends-moi, je l'aime, Lori, je l'aime beaucoup, mais juste au moment où je crois qu'on va aboutir à quelque chose, il y a comme une espèce d'alarme bizarre dans sa tête et elle se ferme complètement ; elle me regarde comme si j'avais changé de visage. Je ne la comprends vraiment pas.

Lori soupira en signe de sympathie.

– Tu sais, on sent tous que Jennifer a des problèmes qu'elle doit dépasser. Je crois que si on arrivait à retrouver leur trace dans son passé, on pourrait peut-être l'aider à les régler. Mais si j'étais toi, Jake...

– Attends, Lori ! dit Jake en claquant des doigts.

– Qu'est-ce... ?

– Où est-ce que Simon t'a touchée?

Jake se mit à scruter le corps de Lori en peignoir tel un Sherlock Holmes à la recherche d'indices.

– Où exactement?

– Euh... à peu près partout, dit Lori. Pour le permis de tuer, je n'en sais rien. Mais le permis de peloter, ça c'est du Simon tout craché. Je ne vois pas où tu veux en venir, Jake.

– Ce doit être une partie de toi que tu ne vois pas souvent toi-même.

– Pardon ?

– Tu as dit les mots magiques, Lori, dit Jake en souriant. *Retrouver leur trace*. Voilà comment Macey va se servir de toi dans la dernière épreuve. Il a dû mettre un traceur sur toi. Tu leur donneras ta position sans même t'en douter.

– Mais je n'ai rien remarqué...

– Pas étonnant, dit Jake dont les yeux perçants se plissèrent. Penche la tête en avant, Lori, comme si tu piquais du nez à un cours d'histoire de l'espionnage de Grant. C'est ça.

Jake scruta soigneusement la peau délicate du cou de Lori, écarta la serviette pour examiner les racines de ses cheveux. Il éclata de rire.

– J'en étais sûr. J'en étais sûr !

– Quoi? Que je suis naturellement blonde?

– Non. Touche. Touche derrière ta nuque.

Il guida Lori afin que ses doigts se posent sur la tache noire plus petite qu'un ongle qui se trouvait collée sur sa peau, à un endroit normalement masqué par sa chevelure.

– C’est un traceur. J’avais raison. Lori, ma chère, tu as un mouchard.

– Alors enlève-moi ce truc, se plaignit Lori. J’ai quelques idées d’endroits où je peux le coller sur Simon Macey, et ils seront tous douloureux.

– Je ne crois pas, dit Jake en tapotant le cou de Lori et le traceur. Ce joli gadget reste où il est.

– Quoi ? Pourquoi ? Alors ce salaud de Simon va pouvoir suivre tous mes déplacements ?

– Exactement, réfléchit Jake d’un air sombre. Macey pense qu’il peut te suivre à la trace partout où tu vas, Lori. Laissons-le y croire. Parce que lors de la dernière épreuve, il va s’apercevoir que les rôles sont inversés.

– Quoi, pas de chocolats ? dit Eddie en farfouillant sur la table de nuit de Cally. Un malade dans un hôpital doit obligatoirement avoir des chocolats. Je suis désolé, mais on dirait bien que tu vas devoir sortir d’ici au plus vite et rejoindre l’équipe Bond, Cally.

– C’est drôle, dit Cally en souriant, adossée à une véritable montagne d’oreillers. C’est à peu près ce qu’a dit le médecin lors de sa visite il y a moins d’une demi-heure.

– Vraiment ?

Lori et Jennifer étaient assises chacune d’un côté du lit tandis que les trois garçons étaient restés debout.

– C’est une bonne nouvelle.

– Et est-ce qu’il a précisé si tu pouvais reprendre l’entraînement actif ? demanda Ben.

Il était plus prudent. Il pensait au surlendemain et à l’épreuve intitulée « La dernière équipe debout ». Cette dénomination voulait tout dire. « La dernière équipe allongée dans un lit d’hôpital », ça ne marcherait pas.

Cally était optimiste.

– Oui, il l'a dit, Ben. Il a précisé que ce serait une bonne chose pour moi, et je suis d'accord. Je n'ai pas vraiment été blessée physiquement, de toute façon, rien que quelques jours de repos n'aient suffi à soigner. C'est seulement dans ma tête que Némésis a essayé de m'atteindre.

– Si seulement il existait plus de garçons comme ça, dit Lori sur un ton espiègle.

– Je ne crois pas que Némésis savait vraiment quoi faire de moi, dit Cally. Grant pense que c'est pour ça qu'elle m'a gardée vivante dans son univers virtuel. Le virus s'est contenté de fouiller dans mon esprit, pour essayer de comprendre.

– Elle aurait dû le savoir, plaisanta Eddie. Personne ne peut comprendre une femme.

Jake et Jennifer échangèrent un regard qui aurait pu vouloir dire n'importe quoi.

– Je crois qu'elle était sur le point d'en finir, poursuivit Cally. Si vous n'étiez pas arrivés à ce moment-là, mon esprit aurait été réduit en bouillie.

– Quoi ? dit Ben. Comme celui d'Eddie ?

– Oh ! ça c'est méchant, se plaignit Eddie.

– Je dois vous dire merci à tous.

Cally serra les bras de Lori et de Jennifer.

– L'équipe Bond ne laisse jamais tomber un des siens, dit Ben.

– Je sens qu'on va avoir droit à un discours, marmonna Jake.

– Maintenant que nous sommes à nouveau tous ensemble, et tous bons pour le service, je crois qu'on devrait se concentrer sur la stratégie à suivre pour la dernière épreuve.

Décidément, Ben ne loupait jamais une occasion, pensa Jake, avec une sorte d'admiration écœurée.

– J'espère que je n'ai pas besoin de vous rappeler l'importance de cette épreuve finale. Les équipes Palmer et Hannay ont déjà été éliminées, donc il ne reste plus que la bande de Macey, et nous devons impérativement remporter cette épreuve pour gagner le Bouclier de Sherlock. La victoire est à portée de main, mais n'est pas encore acquise.

– Ne t'inquiète pas pour ça, dit Jennifer. Le jour où on ne sera pas capables de battre les minus de l'équipe Solo un par un, on méritera de se faire laver le cerveau et d'être renvoyé à la maison.

– Ta détermination me fait plaisir, Jen, approuva Ben, mais n'oubliez pas les scores. À cause du fiasco de l'épreuve contre la montre (Lori nota avec gratitude que Ben n'avait pas évoqué l'épreuve de tir), l'équipe Solo a pris la tête. Pas de beaucoup, peut-être, mais ça leur donne un avantage. Cela revient à dire que nous ne pouvons pas nous permettre la moindre perte. Nous devons éliminer tous les membres de l'équipe Solo, sans perdre une seule vie de notre côté. Donc nous devons être parfaits, et même plus que ça.

– Plus que parfaits, alors, dit Eddie. Conjuguons nos forces.

– Très drôle, Eddie.

Ben lança à ses coéquipiers un regard d'avertissement.

– Mais de son côté Macey va faire tout ce qu'il peut pour gagner, et il ne reculera devant aucun coup bas, alors ne l'oubliez pas.

Le regard de Lori croisa celui de Jake. Ils ne l'oublieraient pas.

Grant avait conçu l'épreuve de « La dernière équipe debout » comme un équivalent moderne du paintball dans les bois qui avait fait rage à la fin du XXe siècle. Il avait projeté de vieux films montrant des cadres bedonnants vêtus de costumes ringards, morts depuis longtemps, qui se planquaient derrière des arbres en se tirant dessus des balles de peinture avec la précision d'aveugles dans le brouillard. La nuit. Le but de l'exercice était apparemment à l'époque de renforcer l'esprit d'équipe et l'esprit d'entreprise. Et renforcer l'esprit d'équipe était encore aujourd'hui le but recherché par cette épreuve ; la confrontation entre les deux meilleures équipes de Spy High se déroulerait aussi dans le monde réel, sans réalité virtuelle ni effets spéciaux, sauf que les costumes avaient été remplacés par des combichocs, et que les pistolets à peinture avaient cédé la place à des pistolets paralysants. L'idée demeurait la même : stopper net l'équipe adverse, sinon en les tuant, du moins en les paralysant temporairement. Ils disposaient d'une heure pour y parvenir.

L'équipe Bond vérifia ses armes tandis qu'une série de poteaux métalliques s'éleva du sol derrière eux, montant à une hauteur de quatre mètres. Des lumières clignotèrent le long de chaque poteau, ce qui signifiait que la barrière d'énergie qui marquait les limites du terrain de jeu était activée. Traverser cette barrière à présent, que ce soit involontairement ou dans l'intention de tricher, vaudrait au coupable non seulement un choc désagréable mais une exclusion immédiate de l'épreuve. Les deux équipes ne disposaient donc pour éliminer leurs adversaires que d'un espace limité, dont la plus grande part était boisée.

– Bon. Trois équipes de deux, annonça Ben. Moi et Lori. Jake et Jennifer. Cally et Eddie.

Personne ne contesta, même si Jake ne put s'empêcher de remarquer que Jennifer se renfrognait. Quoi qu'il ait fait de mal, elle ne lui avait toujours pas pardonné.

– Surveillez vos arrières. Ne laissez pas la bande de Macey vous prendre à revers.

– C'est typiquement le genre de coup bas mesquin qu'ils pourraient essayer de nous faire, dit Eddie d'un ton désapprobateur.

– C'est nous qui devons les prendre à revers.

– Excellente tactique, Ben, dit Eddie, enthousiaste.

– Chaque groupe doit garder le contact visuel avec les autres. Il ne faut pas que nous soyons séparés. Et vous connaissez le signal si l'un d'entre vous aperçoit quelque chose.

Tout le monde acquiesça.

– Des communicateurs nous auraient bien aidés, fit remarquer Lori.

– Oui, mais aucun instrument électronique n'est autorisé, dit Ben. D'aucune sorte.

Pas même des traceurs, réfléchit Lori. Elle toucha discrètement le petit appareil sur sa nuque, aussi fin qu'un patch. Jake lui fit un clin d'œil d'encouragement.

– OK, finit Ben. L'équipe Solo a dû entrer sur le terrain de l'autre côté à présent. Donnons-leur une bonne leçon.

L'équipe Bond s'enfonça dans les bois. Jennifer et Jake prirent à droite, Cally et Eddie à gauche, tandis que Ben et Lori restaient au centre. Ils se déplaçaient en silence, furtivement, tous leurs sens en alerte pour détecter le moindre signe d'une autre présence humaine. Les prochaines soixante minutes décideraient du vainqueur du Bouclier de Sherlock.

Lori lut la détermination de Ben sur son visage, son engagement total à la cause de l'équipe. Elle ne pourrait jamais lui avouer ce qui s'était passé entre elle et Simon, jamais. Elle ne pourrait jamais lui dire non plus que, quelle que soit l'attention avec laquelle ils progressaient, se faufilaient, rampaient dans les bois, l'équipe Solo se dirigerait droit sur eux avec une précision infaillible, grâce au petit mouchard que Simon avait collé sur sa nuque. Mais même si le plan de Jake fonctionnait, qu'est-ce qui empêcherait Simon de révéler toute la vérité à Ben et de détruire sa vie à elle? Elle vit son petit ami la regarder, l'air inquiet.

– Tout va bien se passer, chuchota-t-elle.

Elle l'espérait.

Au même moment, sur la gauche:

– Tout va bien, Cally? demanda Eddie à son équipière. On peut faire une petite pause si tu veux.

– Je ne suis pas invalide, Eddie, rétorqua Cally, même si elle sentait déjà la fatigue dans ses jambes, qui la ralentissait.

– Je ne voulais pas dire...

– Je sais, dit Cally en corrigeant son ton. Mais je vais bien, vraiment. J'ai l'espion qui souriait comme partenaire, alors...

Et lorsqu'elle lui sourit, Eddie se dit que le Bouclier de Sherlock lui était complètement égal.

Pendant ce temps, sur leur droite:

– Écoute, Jen, dit Jake, qui ne supportait plus le silence gêné qui planait entre eux. Je sais que ce n'est ni le lieu ni le moment, mais après ça, je veux dire plus tard, il faut vraiment qu'on parle, qu'on arrive à s'ouvrir l'un à l'autre.

– Tu as raison, Jake, dit Jennifer, glaciale.

– Vraiment?

– Ce n'est ni le lieu ni le moment.

Le visage de Jennifer était tout près du sien.

Jake soupira. Bon, au moins, il avait essayé. Il espérait que son plan avec le traceur aurait plus de succès. D'ailleurs, il était temps de le vérifier.

Sans raison apparente, Jake se mit à imiter un cri d'oiseau.

Jennifer se baissa aussitôt, comme si elle avait entendu siffler une bombe dans le ciel.

– Qu'est-ce qui te prend ?

– Je crois avoir vu quelqu'un, chuchota Jake en se mettant à couvert. Juste là.

Il fit un geste vague vers la forêt et, apparemment sûr de lui, se mit à lancer un nouveau cri d'oiseau.

– De quoi tu parles ? dit Jennifer en scrutant les feuillages verdoyants. Je ne vois personne par là. Où est-ce exactement ?

Cela n'avait plus d'importance à présent. Jake avait obtenu ce qu'il voulait. Le reste de l'équipe Bond les rejoignit bientôt, accroupis et têtes baissées, pistolets paralysants prêts à faire feu. Jake croisa le regard de Lori et acquiesça subreptiscement. Tandis que les autres tendaient le cou, en cherchant à apercevoir l'ennemi, Lori fit un pas en arrière. Personne ne la vit faire le geste de se masser le cou.

– Qu'est-ce que tu as vu, Jake ? demanda Ben.

– Macey et Sonia Dark, mentit Jake. Je suis sûr qu'il y avait au moins ces deux-là.

– Moi, je n'ai rien vu, Ben, dit Jennifer, mécontente. Il n'y a personne.

Ben fouilla la forêt du regard. Effectivement, il n'y avait pas l'ombre d'une présence, mais pouvait-il se permettre de prendre le risque ? Un bon leader devait-il prendre des risques ou s'en tenir aux probabilités ? Jake n'avait pas l'habitude de s'avancer à la légère.

– J'en suis sûr, insista-t-il. Simon. Sonia. Et peut-être toute l'équipe Solo. Ils viennent par ici.

Il lança un autre coup d'œil discret à Lori. Ce fut son tour d'acquiescer.

– Eh bien...

Ben ne pouvait pas se permettre la moindre erreur.

– Ben, il n'y a rien, je t'assure, dit Jennifer qui semblait aussi sûre d'elle que Jake.

– Je vois quelque chose, dit soudain Lori. Ce doit être l'équipe Solo.

Jennifer se retourna pour observer Lori. Évidemment, elle soutenait Jake, même s'il était clair qu'ils mentaient tous les deux, pour une raison obscure. Mais l'intervention de Lori avait suffi à convaincre Ben.

– OK, on se retire, planifia-t-il. On va se déployer en demi-cercle défensif de l'autre côté de cette clairière. S'ils ne nous ont pas encore vus, on peut peut-être en cueillir un ou deux. Allons-y.

Les membres de l'équipe Bond firent demi-tour et s'éloignèrent l'un de l'autre pour former un arc de cercle autour de la clairière – si quelqu'un était assez imprudent pour y pénétrer, il ferait une cible parfaite. Et vu que son mouchard était resté de l'autre côté, enfoncé dans le sol, raisonna Lori, il y avait de bonnes chances pour que cela se produise. *Amenez-vous. Amenez-vous tous.*

Ils n'eurent pas longtemps à attendre.

– Qu'est-ce que je vous avais dit ? sourit Jake.

Il n'osa pas regarder Lori de peur d'éclater de rire.

– Incroyable, laissa échapper Jennifer.

Mais on ne pouvait plus le nier à présent. À la limite de leur champ de vision, ils se faufilaient entre les arbres, avançant inexorablement dans leur direction : non seulement Simon, non seulement Sonia, mais les six membres de l'équipe Solo – exactement là où ils les attendaient, et bien partis pour être mis hors jeu. Les doigts de l'équipe Bond se crispèrent sur la détente de leurs armes.

– Qu'est-ce qu'ils fichent ? murmura Ben, en partie pour lui-même. Ils sont tous regroupés. Ils font des cibles faciles.

Était-ce un piège ? Il savait pertinemment bien que Macey était capable de toutes sortes de ruses, mais il ne parvenait pas à deviner quel avantage l'équipe Solo pouvait trouver à se déplacer en groupe.

Perplexe, Ben secoua la tête.

– On dirait que Noël arrive plus tôt que prévu cette année.

– Ouais, dit Jake, et voici les dindes.

Poussant des cris belliqueux, l'équipe Solo chargea soudain. Les pistolets entrèrent en action, balayant les feuillages de la forêt d'ondes paralysantes.

– Ils ne nous ont pas vus. Ils n'ont pas pu nous voir. Qu'est-ce qui se passe ? demanda Cally à Eddie.

– Peut-être qu'ils n'aimaient pas l'allure de ce buisson là-bas, suggéra Eddie, celui qu'ils sont en train de mettre en pièces.

– Attendons-les, chuchota Ben. Laissons-les s'approcher un peu plus près.

Alors il aurait Macey dans sa ligne de mire.

L'équipe Solo s'arrêta. Ils paraissaient surpris, décontenancés. Macey regarda quelque chose dans sa main, la secoua vigoureusement. L'équipe Solo se regroupa autour de lui.

Ils n'auraient pas de meilleure occasion.

– Feu ! s'écria Ben.

Un tir de barrage d'ondes paralysantes déferla sur l'équipe Solo. Ils n'eurent même pas le temps de lever leurs propres pistolets. Huxley fut paralysé instantanément, se raidit et tomba à la renverse – perdu. *Idem* pour deux autres. Conrad fut touché de deux côtés à la fois – une secousse, il tourna sur lui-même et s'écroula.

L'équipe Bond s'était redressée à présent, sentant la victoire proche.

Mais ils n'encerclaient pas l'ennemi, pas complètement. Simon vit une ouverture. Il agrippa Sonia Dark. Elle se débattit et résista pour tenter d'échapper à son étreinte, mais en vain. Elle encaissa de plein fouet l'onde paralysante qui visait Simon. Alors seulement il la relâcha, la poussant devant lui sur le sol, oubliant son pistolet paralysant pour prendre la fuite.

Hors de portée.

– Zut ! cracha Ben. Poursuivons-le.

– Non ! s'écria Jake, sur un ton dont l'intensité fit taire tout le monde – et l'éclair dans ses yeux signifiait que personne ne le contredirait. Macey est à moi.

La panique faisait trébucher Simon et le ralentissait ; il n'arrivait pas non plus à réfléchir clairement. Qu'est-ce qui avait déconné avec le traceur ? Tout semblait si bien fonctionner – et voilà qu'il se carapatait dans la forêt, le dernier encore debout de toute son équipe. Il entendait quelqu'un lancé à sa poursuite. Ce devait être Stanton, pistolet au poing, prêt à venir chercher sa victoire. Et sans son arme – pourquoi l'avait-il lâchée ? quel idiot ! –, il ne voyait pas comment il pourrait l'en empêcher.

Mais il pourrait au moins lui faire ravaler son air triomphal. Peut-être était-il temps d'apprendre à Stanton la vérité sur sa mignonne petite copine.

Simon ralentit sa course et s'arrêta, les mains levées en signe de reddition, bien décidé à faire face à Stanton avec un sourire moqueur. Qui se transforma en haussement de sourcils. Ce n'était pas Stanton. C'était ce dômeur arriéré, Daly. Qui ne semblait pas vouloir ralentir.

– OK, j'abandonne.

Jake continuait à s'approcher.

– J'ai dit que j'abandonnais, t'es sourd ?

Jake fonça dans Simon Macey et les deux garçons furent précipités par terre.

– Qu'est-ce qui te prend, crétin !

Simon se tortillait dans tous les sens, mais Jake était assis sur lui, lui clouant les mains au sol.

– J'abandonne ! Tire et qu'on en finisse.
– Pas encore, salopard. Il faut qu'on parle.
Jake sembla aussi trouver nécessaire de balancer un ou deux coups de poing dans la figure de Simon Macey, qui vira à l'écarlate.
– Quoi ?... T'es dingue ? éructa Simon. C'est contre le règlement.
– Ah oui ? dit Jake en approchant son visage de celui de Macey – ses yeux brûlaient d'une telle rage qu'ils auraient pu faire roussir l'autre garçon. Et coller un mouchard électronique sur un membre de l'équipe adverse, c'est autorisé ?
Macey pâlit. Ses lèvres tremblèrent.
– J'ai jamais fait ça. Tu peux pas...
– Plus de mensonges, Macey... Contente-toi d'écouter, dit Jake en refermant ses mains autour du cou de Simon. Je sais ce qui s'est passé entre toi et Lori. Je sais que tu l'as utilisée et manipulée. Selon mes critères, mon pote, c'est vraiment une conduite dégueulasse, et d'où je viens, ça mérite une sacrée correction que j'adorerais te donner...
– Lâche... moi !
– Mais je vais essayer d'être compréhensif avec toi, Macey, juste pour cette fois. Tu pourras garder ta belle gueule. Tu pourras garder toutes tes dents bien alignées. Mais si *jamais* tu ouvres la bouche pour parler, pas seulement à Ben, mais à *n'importe qui*, de ce qui s'est passé entre Lori et toi, *une seule fois*, alors une nuit, quand tu t'y attendras le moins, toi et moi on se retrouvera, et cette fois je ne serai plus aussi compréhensif, et toi tu ne séduiras plus personne pendant très, très longtemps. Tu m'as bien compris ?
Simon Macey émit une sorte de gargouillement. L'étranglement a tendance à ne pas faciliter la communication.

– Je n'ai rien entendu, dit Jake en relâchant la gorge de Macey à contrecœur. Tu m'as compris ?

– ... oui... *oui !*... J'ai... compris...

Simon toussa par à-coups.

– Bien. On dirait qu'on en a fini alors.

Juste à temps.

– Jake, que se passe-t-il ?

Les autres venaient d'arriver.

– Oh ! rien. Rien d'important.

Jake se remit sur ses pieds et hissa Simon Macey sur les siens.

– Simon a juste fait une petite chute, c'est tout. Et puis il veut vous dire quelque chose, n'est-ce pas, Simon ?

Les yeux de Lori s'écarquillèrent d'effroi.

– Parle, Macey.

Simon jeta à Ben et à Jake un regard sombre. Ostensiblement, il ignora Lori.

– Ouais, j'ai quelque chose à dire. J'abandonne. C'est terminé. Stanton, le Bouclier de Sherlock est à toi.

ÉPILOGUE

La cérémonie se déroula exactement comme Ben l'avait imaginé.

Toute l'école était rassemblée dans le hall des Héros, les professeurs comme les étudiants. Grant était présent, bien sûr, ainsi que le caporal Keene dans un uniforme qu'il gardait visiblement pour ce genre d'occasions pacifiques, Lacey Bannon, M. Korita, même le vieux Gadget, qui ne savait visiblement pas ce qu'il faisait là mais qui s'abstint toutefois de parler au mur pendant les allocutions. Un écran avait été spécialement installé pour la contribution de Jonathan Deveraux. Les équipes d'étudiants, première et deuxième années confondues, étaient assises d'un côté du hall, tandis que les agents diplômés de Spy High qui n'étaient pas en mission se tenaient en rang derrière eux.

Seuls les membres de l'équipe Bond étaient assis à part de leurs condisciples. Car seule l'équipe Bond allait être récompensée par le Bouclier de Sherlock.

Ben n'écouta pas très attentivement les discours de Deveraux et de Grant – tous deux parlèrent d'honneur et de réussite, d'être des modèles et des exemples vivants. Ce n'est pas qu'il était en désaccord ou même qu'il avait déjà entendu ces paroles, mais Ben voulait simplement savourer ce moment, s'en délecter, graver la scène dans sa mémoire d'une manière si profonde qu'elle semblerait durer toujours.

Les regards fiers des diplômés dont il rejoindrait bientôt les rangs, les yeux envieux des équipes Hannay, Palmer et Solo – spécialement de l'équipe Solo, et de Simon Macey en particulier qui avait l'air d'être condamné à mâcher un citron. Tout était parfait. Tout était bon. C'était pour cela qu'il était venu à Spy High.

Quand Grant demanda au « leader de l'équipe gagnante de cette année, Ben Stanton de l'équipe Bond, de s'avancer pour recevoir le Bouclier de Sherlock », Ben aurait pu le faire les yeux fermés. Il avait passé et repassé ce moment un nombre incalculable de fois dans le secret de ses pensées. La réalité ne le déçut pas.

– Merci, monsieur, dit Ben.

Il serra la main de Grant (ou est-ce Grant qui serra la sienne ?). Il prit le Bouclier de Sherlock dans ses mains. Il le leva bien en vue au-dessus de sa tête. Il accepta les applaudissements comme une juste récompense. Quand ils feraient le film de sa vie...

Les autres se joignirent à lui – était-ce bien indispensable ? pensa-t-il. Il y eut des sourires à la ronde, des étreintes et des embrassades, des congratulations générales.

Une correction toutefois : quelqu'un ne souriait pas.

Jennifer avait l'air de suivre le même régime que Simon Macey. Elle semblait ne pas apprécier les acclamations du public. Ses yeux étaient fixés sur la sortie comme si elle pensait s'y engouffrer d'une seconde à l'autre. *Instable*, pensa Ben, *définitivement instable* ; mais au moins elle n'avait pas fait perdre l'équipe.

Plus tard ce soir-là, les filles se préparaient pour la soirée célébrant la remise du Bouclier. Les membres de l'équipe Bond étaient bien sûr les invités d'honneur, et Cally et Lori planifiaient leur tenue et leur apparence avec la précision d'une mission sur le terrain. Pas Jennifer. Jennifer ne faisait rien d'autre que de rester assise, les jambes croisées, sur son lit et de fixer d'un regard sinistre le mur devant elle.

– Tu ne te sens pas bien, Jen ? demanda Cally. C'est la pression de la soirée qui te pèse ?

– Ça va.

Chaque mot sonnait comme une porte qu'on claque.

– Alors tu ne te dépêches pas de te changer ? interrogea Lori. La fête va commencer sans nous.

– Je ne vais pas à la fête, dit Jennifer, avec un ton dédaigneux qui stoppa net les préparatifs de ses coéquipières.

– Tu ne viens pas ? Mais pourquoi ?

– Oh ! je ne voudrais pas être une gêne pour toi, Lori. Ni me mettre en travers de ton chemin.

– Quoi ? dit Lori, qui n'y comprenait rien – qu'est-ce qui lui valait un commentaire si venimeux de la part de Jennifer ? Que veux-tu dire ?

– Rien.

Lori chercha de l'aide du côté de Cally, qui haussa les épaules, aussi perplexe qu'elle.

– Attends une minute, Jennifer : tu ne peux pas me balancer ce genre de sarcasmes et te contenter de dire « rien ». Il y a un problème dont je ne suis pas au courant ? Est-ce que je t'ai vexée d'une manière ou d'une autre ?

– Tu le sais bien, lâcha Jennifer d'un ton irrité.

– Je ne sais rien ! s'exclama Lori. Éclaire-moi, Cally, tu as une idée... ?

– Jake. C'est Jake. Toi et Jake, dit Jennifer.

– Comment ça, moi et Jake ? C'est moi et Ben, Jennifer, au cas où tu ne t'en serais pas encore aperçue. Le grand garçon blond, le leader de l'équipe, tu vois de qui je parle ? Jake, c'est juste...

– Quelqu'un avec qui tu échanges des regards pleins de sous-entendus, l'accusa Jennifer. Quelqu'un que tu rencontres en secret dans le parc.

– Oh !

Soit Jake et elle avaient baissé, soit elle comprenait pourquoi Jennifer était entrée dans une école d'espionnage.

– Oui, « oh », dit Jennifer.

– Lori ?

Cally lança un regard interrogateur à sa coéquipière.

– Écoute, Jennifer, tu as tout compris de travers, se lança Lori, décidée à révéler la vérité, mais pas toute la vérité. Ce que tu as vu... J'ai eu une sorte de problème. Jake était la seule personne qui pouvait m'aider. Et il l'a fait. Il m'a aidée à m'en sortir. Comme un ami. Et c'est tout. Il n'y a rien d'autre, pas d'amourette, si c'est ce qui t'inquiète. Ben est mon petit ami. C'est évident, non ?

Jennifer la regarda comme si ce n'était pas évident pour elle.

– Écoute, Jennifer, reprit Lori, tentant une autre approche, c'est toi que Jake aime. Il me l'a dit lui-même.

– Tu vois ? intervint Cally pour soutenir Lori. Qu'est-ce que je t'avais dit l'autre jour ? Tu n'as pas été lui parler ?

L'hostilité de Jennifer commença à faiblir.

– J'allais le faire, mais... je vous ai vus ensemble... et j'ai pensé... Oh, j'ai été vraiment dure avec lui.

Elle regarda ses équipières, accablée.

– Jake doit vraiment me détester maintenant, non ?

– Non, je ne pense pas, la rassura Lori. Je crois même que si tu fais quelque chose comme aller faire un tour dans la chambre des garçons et lui dire que tu es disposée à l'accompagner à la soirée, Jake peut se laisser tenter... Et quand je dis *tenter*, c'est dans le genre des étoiles pleins les yeux et la langue qui pend.

– Tu crois vraiment? dit Jennifer en riant.

Elle avait changé du tout au tout.

– On en est sûres, confirma Cally.

– Alors je crois que je ferais mieux d'y aller, dit-elle – avant de ne plus en avoir le courage. À tout à l'heure. Et Lori... Cally, ajouta-t-elle en souriant: Merci.

Cally la regarda partir.

– Le chemin vers l'amour véritable est semé d'embûches, fit remarquer Cally. Mais dis-moi, Lori, c'était quoi ce problème que seul Jake pouvait t'aider à résoudre?

Jennifer courut dans les couloirs. Elle était hantée par l'idée folle que si elle ne trouvait pas Jake sur-le-champ, le plus vite possible, quelque chose allait se produire et qu'elle ne le reverrait jamais. Certains événements dans sa vie, qui hantaient toujours son sommeil, l'avaient rendue pessimiste, fataliste, mais là elle tenait une chance de vivre quelque chose de bon, quelque chose de positif. À présent que cette histoire avec Lori était éclaircie, personne ne pourrait se mettre en travers de son chemin.

Hormis peut-être le directeur Elmore Grant, qu'elle faillit renverser en se cognant dans sa jambe artificielle.

– Hé, doucement! Il y a le feu?

Il ne semblait pas lui en vouloir.

– Désolé, monsieur. Je dois... voir quelqu'un.

– Il se trouve que moi aussi. Et c'est justement toi, Jennifer.

Il lui tendit une enveloppe, adressée à l'école Deveraux, libellée à l'intention de Jennifer Chen.

– C'est arrivé pour toi aujourd'hui. Je voulais te la donner plus tôt, mais avec la cérémonie et tout ça... On n'a plus souvent l'occasion de recevoir de vraies lettres de nos jours, hein ? Avec les e-mails et les visiophones. Ah ! la vie moderne... Tout va bien, Jennifer ?

– Oui, bien sûr – *non*, pensait-elle. Merci. Pour ça.

C'était une lettre de tante Li. Elle reconnaissait son écriture. Et ce ne pouvaient être que de mauvaises nouvelles.

– Eh bien, j'espère te voir tout à l'heure à la soirée, Jennifer.

Elle ne répondit pas. Elle ne vit pas Grant s'éloigner. Le monde autour d'elle s'était assombri d'un coup, avait plongé dans les ténèbres, et elle ne pouvait plus voir que la lettre. Jennifer ouvrit l'enveloppe. Tante Li n'écrivait jamais sans une raison importante.

Il est revenu.

Évidemment qu'il était revenu. Évidemment. Jennifer en eut le souffle coupé, les jambes flageolantes, l'esprit paralysé. Elle s'adossa contre le mur. *Il est revenu.* Elle savait qu'il reviendrait un jour. Et il fallait que cela arrive aujourd'hui.

Elle sentit un haut-le-cœur lui remonter dans la gorge. Mais elle ne pouvait rien y faire. Les larmes brouillèrent sa vue. Elle n'avait plus le temps de voir Jake à présent. Elle n'avait plus le temps que pour une chose.

– Alors, on est un garçon comblé maintenant ?

Lori avait finalement réussi à laisser Ben pour parler un moment avec Jake en privé. Elle fut un peu surprise de le voir assis, et non en train de danser. Et elle fut plus qu'un peu surprise de constater qu'il était seul.

– Que veux-tu dire ? Le Bouclier ? Je ne suis pas sûr que Ben soit prêt à en partager le mérite...

– Mais non, idiot. Jennifer. Tu vois ? Grande, cheveux noirs, ravissante ? Où est-elle ?

– J'espérais que tu me le dirais, admit Jake. Elle n'est pas avec toi ?

Lori fronça les sourcils. Un mauvais pressentiment la fit frissonner, comme un insecte remontant le long de sa colonne vertébrale.

– Elle était censée venir te voir dans ta chambre, pour te proposer de t'accompagner à la soirée.

– Elle ne l'a pas fait, dit Jake qui remarqua l'inquiétude de Lori. Je ne l'ai pas vue depuis la cérémonie. C'était quand ?

– Oh ! il a un moment déjà. Cally et moi on pensait que vous étiez peut-être sortis faire un tour tous les deux. Elle n'est pas revenue. Elle ne serait pas quelque part dans le coin, par hasard ?

Lori chercha Jennifer des yeux, en vain.

– Non, elle n'est pas là, dit Jake. J'ai déjà regardé.

La musique reprit, à fort volume. Ben attendait que Lori le rejoigne sur la piste de danse. Cally et Eddie semblaient s'entraîner pour un concours de lutte au corps à corps. Soudain, Lori n'avait plus la tête à s'amuser. Quelque chose n'allait pas.

– Elle a peut-être changé d'avis, dit Jake. Elle est peut-être retournée dans votre chambre.

– Peut-être, dit Lori d'un air préoccupé. Je vais aller vérifier. Tu veux venir ?

– Essaie de m'en empêcher.

– Hé, Ben ! l'interpella Eddie, qui venait de surprendre son regard étonné posé sur Lori et Jake qui sortaient précipitamment de la salle. Je ferais gaffe si j'étais toi. On dirait bien que tu perds la main !

– Jennifer ? Jen ? Tu es là ?

Le fait que Lori doive allumer l'interrupteur semblait suggérer que non.

– Alors où peut-elle être ?
– Attends, Jake. Regarde. Un mot.
Lori saisit la feuille de papier pliée posée au milieu du lit de Jennifer. Elle la lut. Elle pâlit.
– Alors ? la pressa Jake. Qu'est-ce que ça dit ?
– Elle est partie, Jake.
– Comment ça ? Partie où ?
L'expression de Lori était grave, définitive.
– Jennifer est partie.

Bientôt

La lune était en train de mourir.

Elle se découpait au bas du ciel nocturne, comme si elle avait à peine la force de se retenir de tomber, avec la pâleur blafarde d'un grand malade. Sa luminosité tremblotait plus qu'elle ne scintillait, telle une vieille ampoule qu'il faudrait bientôt remplacer. Ce qui était d'ailleurs presque le cas, puisque la lune qui brillait sur la ville basse de Los Angeles était artificielle.

Cet astre entièrement construit par l'homme avait été imaginé par un précédent maire de la ville comme une mesure de prévention de la criminalité. La ville basse était déjà en train de sombrer dans l'anarchie et la peur. Les bons citoyens déménageaient, tandis que les gangs investissaient les lieux. La lune en surplomb était censée jouer le rôle d'un phare, d'une balise de l'espoir, et rappeler de manière éclatante que les citoyens riches et puissants de la ville haute n'oubliaient pas leurs frères moins fortunés de la ville basse. Sa lumière devait dissiper les ténèbres et contribuer à la sécurité des rues. On avait prévu d'équiper l'astre artificiel de caméras afin de surveiller le quartier d'un œil protecteur.

Seulement, l'argent avait fait défaut. Le maire avait perdu son fauteuil. Et aucune caméra n'avait été installée. Le budget de maintenance de la lune avait subi des coupes franches, jusqu'à être réduit à peau de chagrin.

La lune était en train de mourir, mais cela n'avait plus guère d'importance. La ville basse était dans un bien pire état.

Du moins, c'était l'impression qu'en avait la jeune fille. Les rues qui lui étaient si familières, les trottoirs pleins de vie qui jadis grouillaient de monde, quand elle était une petite fille enjouée, étaient à présent sombres, froids et vides. Bien sûr, il était tard, minuit passé, mais la jeune fille sentait dans l'atmosphère un air d'abandon, de décadence et de désespoir, comme une odeur de pourriture.

Dans ce tombeau silencieux, elle entendit des pas derrière elle, des pas qui la suivaient. Trois bruits de pas, qui s'efforçaient d'être furtifs mais qui résonnaient lourdement sur le trottoir. Des hommes. À sa poursuite.

La jeune fille plissa ses yeux brillants, couleur d'émeraude. Elle doutait fort qu'ils veuillent seulement lui demander leur chemin.

Comme si elle craignait d'assister à ce qui allait se passer ensuite, la lune pâlit encore, prise d'une soudaine jaunisse.

La jeune fille écouta le bruit des pas s'accélérer. Elle ne se retourna pas. Elle verrait leurs visages bien assez tôt.

La lune se ressaisit brièvement, brillant tout à coup d'une lumière blanche éclatante. Puis il y eut un grésillement, comme un soupir électronique, et elle rendit l'âme. La lune fut soufflée comme une bougie. La nuit avait repris ses droits.

La jeune fille s'arrêta. Pas ses poursuivants.

– Hé, poulette !

Elle posa son sac. Elle sentait qu'elle n'allait sans doute pas tarder à avoir besoin de ses deux mains libres.

– C'est à moi que tu parles ?

Elle les détailla tandis qu'ils la rattrapèrent et se pavanèrent autour d'elle en matant son joli minois et ses longs cheveux lisses aussi sombres que la nuit. Une brochette bariolée de voyous : un Noir, un Blanc, sous ses boutons d'acné, et un Chinois comme elle. C'était lui le plus grand.

– Qu'est-ce que tu fiches dehors toute seule... ?

– Ouais, il est tard et tu devrais être au lit.

– Tu sais pas que les rues sont dangereuses par ici ?

– Ah bon ? répondit-elle. Merci pour le conseil. J'y penserai.

– Alors on mérite une petite récompense, non ?

Ils se positionnèrent autour d'elle – l'un devant, un autre derrière, un autre sur la droite – pour lui couper toute possibilité de fuite. À gauche, c'était un mur.

– Ton sac, poulette. On veut ton sac.

Le ton était menaçant à présent, leur posture agressive.

– Et tout ce que t'as d'autre.

– Tout le reste !

– Très bien, dit la jeune fille, alors venez le chercher vous-mêmes.

Elle mit le type chinois au tapis avant même qu'il n'esquisse un geste – d'une manchette de karaté rapide comme l'éclair. Quant au type noir qui se trouvait derrière elle, elle avait jaugé sa corpulence d'un œil expert et lui balança un coup de pied adapté. Le type blanc, éberlué, tenta de prendre un couteau. La jeune fille lui saisit le bras, le tordit et tira dessus d'un coup sec. Difficile de jouer du couteau avec un bras cassé.

La jeune fille reprit aussitôt une posture défensive, même si elle doutait d'en avoir besoin. En effet, ses trois assaillants potentiels, étalés par terre, se contentaient de geindre.

– T'es qui, bordel ?

Les voyous réussirent à se relever, en gardant prudemment leurs distances.

– T'as rien à faire dans le quartier.

Ils reculèrent et se débinèrent à toutes jambes, non sans lancer un dernier avertissement :

– C'est pas ton quartier !

Ce qui fit plus de peine à la jeune fille que tout ce qu'ils auraient pu lui faire physiquement.

Parce que ici, justement, c'était son quartier.

Lorsque la lune s'éveilla à nouveau avec un cliquetis, comme pour souligner un happy end, la jeune fille leva son regard vers l'immeuble devant lequel elle s'était arrêtée et ses yeux de chat s'emplirent de larmes. C'était son quartier.

Jennifer Chen était de retour à la maison.

Cette fois, c'est personnel...

Cet ouvrage a été imprimé par la
SOCIÉTÉ NOUVELLE FIRMIN-DIDOT
Mesnil-sur-l'Estrée
pour le compte des Éditions du Rocher
en octobre 2005

Éditions du Rocher
28, rue Comte-Félix-Gastaldi
Monaco

Imprimé en France

Dépôt légal : octobre 2005
CNE Section commerce et industrie Monaco : 19023
N° d'impression : 76071